W
DO YOU
SEARCH?
D

Yes. It's a blast!

Puzzles by David Ouellet

Dalmatian Press

© 2010 Universal Uclick

Dalmatian Press, LLC 2010
All rights reserved
Printed in the U.S.A.

CE13593/0810/CLI Do You Word Search? Yes. It's a blast!

S	A	C	R	A	M	E	N	T	S	B	M	U	R	C
M	O	R	S	E	L	A	K	R	K	O	S	H	E	R
L	P	U	Y	E	D	N	L	E	E	N	O	C	S	U
W	O	M	R	T	U	N	N	T	B	F	I	M	A	S
H	H	P	E	D	S	W	O	A	S	L	R	F	U	T
I	S	E	K	L	O	A	G	W	R	A	P	P	E	D
T	E	T	A	R	S	U	E	A	W	T	S	X	P	M
E	R	B	B	T	E	E	G	Y	I	E	A	I	U	E
V	F	U	E	T	T	S	V	H	N	S	T	R	R	C
D	N	R	T	E	I	H	I	A	E	A	U	S	E	I
S	A	E	I	T	L	U	M	A	O	D	N	U	O	R
P	R	I	S	E	I	N	C	N	K	L	A	E	V	C
E	C	I	L	S	K	K	S	S	A	M	O	E	E	D
L	L	O	R	Y	E	C	R	O	I	S	S	A	N	T
T	H	I	N	I	V	A	L	F	O	B	I	R	F	K

Baguette, Bakery, Biscuit, Brown, Buns, Cost, Croissant, Crumbs, Crumpet, Crust, Daily, Dunk, Durum, Flat, Fresh, Garlic, Hunk, Kaiser, Knead, Knife, Kosher, Like, Loaf, Loaves, Malt, Mass, Morsel, Multi, Oven, Pita, Pure, Riboflavin, Rice, Rise, Roll, Round, Sacrament, Scone, Shop, Slab, Slice, Sourdough, Spelt, Stew, Sups, Sweet, Texas, Thin, Toaster, Warm, Water, White, Wine, Wonder, Wrapped, Yeast.

Alliances Worldwide

G	E	C	A	M	E	S	O	P	R	U	P	S	S
A	C	C	O	M	P	A	N	I	E	S	C	G	R	P
I	O	N	U	R	D	M	M	T	T	O	S	N	O	U
N	E	S	C	R	P	N	C	C	R	P	I	T	O
Y	L	L	O	T	O	A	A	O	A	S	L	C	R
D	A	F	L	A	N	F	R	B	U	E	P	B	E	G
N	I	M	A	A	O	V	H	A	N	S	F	I	R	M
A	R	O	R	M	U	G	E	D	T	C	E	S	I	A
H	T	S	N	O	I	T	A	N	R	I	L	S	D	K
E	S	A	B	E	F	L	U	B	I	S	O	U	A	E
E	U	A	N	O	L	F	I	M	E	E	L	N	E	C
E	D	A	R	I	A	E	I	E	S	T	N	A	S	S
R	N	O	E	B	T	R	A	C	S	U	T	C	E	I
G	I	S	C	H	I	L	D	R	E	N	I	E	E	D
A	P	O	L	I	T	I	C	S	N	S	N	T	R	G

Agree, Allies, Band, Base, Better, Boards, Brash, Cases, Causes, Children, Clan, Clues, Code, Companies, Convenience, Corporations, Countries, Deals, Directors, Facts, Families, Firm, Form, Gain, Goals, Groups, Handy, Industrial, Learn, Make, Money, Mutual, Nations, Neighbors, Offices, Pact, People, Poise, Politics, Purpose, Siblings, Suit, Truce.

A Peeling Theme

T	T	I	U	R	F	I	N	E	N	O	M	E	L	Y
R	N	L	E	V	I	T	A	V	R	E	S	E	R	P
E	A	A	B	E	R	R	I	E	S	U	S	E	A	O
V	R	Y	I	G	M	T	G	E	R	T	H	I	N	T
O	R	U	R	L	R	S	E	R	E	T	E	E	H	A
C	K	E	T	O	P	L	O	M	A	E	D	C	A	M
K	E	R	P	A	B	U	S	E	S	I	T	N	R	O
N	R	P	A	I	N	D	L	R	V	E	N	A	D	T
T	U	A	D	D	R	L	A	P	R	O	T	R	E	T
S	C	E	B	R	C	O	E	T	E	S	M	A	N	E
K	E	A	O	A	C	H	S	G	U	A	R	E	D	K
C	S	U	R	E	S	I	G	R	N	M	P	P	R	C
I	G	R	M	T	Z	S	C	L	O	A	K	P	O	A
H	O	I	U	E	X	T	E	R	I	O	R	A	L	J
T	L	N	N	O	L	E	M	O	T	A	T	O	P	E

Appearance, Apple, Armor, Bark, Berries, Carrot, Cloak, Coarse, Coat, Cover, Crust, Dark, Dates, Edible, Eggs, Exterior, Extract, Fine, Firm, Fruit, Grain, Green, Harden, Hold, Jacket, Leathery, Lemon, Lime, Meat, Melon, Nature, Nuts, Orange, Pliant, Potato, Preservative, Pulp, Remove, Ripe, Rough, Secure, Shed, Size, Stems, Stretch, Support, Surround, Thick, Thin, Tomato.

A Ticket to Remember

E	G	P	A	R	E	P	A	P	L	E	V	A	R	T
D	N	T	I	M	R	E	P	R	I	Z	E	A	E	M
N	I	E	V	I	R	D	D	I	L	A	V	R	N	A
A	D	N	C	H	E	C	K	N	S	S	E	E	W	R
T	R	E	E	S	N	O	I	T	N	E	V	N	O	C
S	A	C	S	R	S	E	R	E	A	I	R	A	L	H
L	O	O	H	C	S	O	T	D	G	A	E	O	C	P
S	B	L	G	I	P	R	L	A	G	E	S	E	L	O
E	R	L	D	S	T	E	E	E	G	E	E	T	A	H
S	P	E	N	D	I	B	N	F	G	P	R	D	B	S
S	D	C	P	V	I	T	C	R	S	A	O	A	E	N
I	E	T	O	L	B	O	O	K	I	N	G	S	L	W
O	P	M	L	T	A	O	B	N	Y	S	A	G	A	A
N	O	E	A	T	D	C	E	S	A	H	C	R	U	P
S	T	U	B	N	O	I	S	S	I	M	D	A	T	L

Admission, Agent, Arena, Bags, Billet, Boarding, Boat, Bookings, Check, Chit, Close, Coat, Collect, Convention, Depot, Diner, Door, Draw, Drive-in, Gate, Given, Label, Loss, Luggage, March, Movie, Name, Owner, Paper, Pawnshop, Permit, Price, Printed, Prize, Purchase, Reserve, Scalper, Scene, School, Sessions, Sold, Speech, Spend, Sports, Stand, Stub, Synod, Train, Transfer, Travel, Valid.

K	A	H	B	K	S	I	H	W	M	S	K	A	E	L
R	L	E	O	P	B	V	A	C	U	U	M	C	I	A
E	O	I	L	L	E	T	W	S	T	O	N	Q	E	T
T	C	I	M	S	E	A	K	I	N	J	U	G	S	N
N	T	I	S	R	R	A	G	E	N	I	V	T	A	E
A	E	E	U	Y	R	H	Y	C	D	E	O	E	F	M
C	L	G	V	J	T	N	A	S	L	P	C	C	E	A
E	P	A	T	E	C	N	E	D	P	O	I	S	T	N
D	R	R	N	E	D	A	F	E	N	O	S	L	Y	R
G	D	O	E	L	U	L	R	T	T	A	U	E	L	O
L	L	T	E	S	A	R	A	A	G	N	K	T	D	S
A	O	S	J	S	E	I	C	E	F	R	A	I	R	L
S	H	A	K	E	N	R	K	H	O	E	U	C	I	A
S	R	E	N	E	P	O	V	C	O	L	O	G	N	E
S	P	E	R	F	U	M	E	E	F	U	L	L	K	S

Beer, Candle, Canteen, Carafe, Closed, Coins, Cola, Cologne, Container, Cork, Cruet, Decanter, Drink, Flask, Fluid, Full, Glass, Gravy, Heated, Hold, Hole, Jars, Jugs, Juice, Leaks, Liquid, Magnum, Message, Milk, Money, Neck, Ocean, Opener, Ornamental, Perfume, Pills, Preserve, Rack, Safety, Seals, Shake, Split, Spout, Stopper, Storage, Tighten, Vacuum, Vessel, Vinegar, Water, Whisk, Wine.

Breakfast Is Served

N	R	E	S	T	A	U	R	A	N	T	A	B	L	E
C	O	H	T	H	S	U	R	M	E	L	O	N	D	J
A	O	C	R	T	S	T	I	P	U	E	K	A	W	L
F	M	I	A	S	E	L	E	E	E	G	L	L	S	E
E	A	R	W	B	K	I	O	P	N	A	Y	A	R	T
S	T	R	B	A	E	C	V	W	M	S	R	E	E	O
G	L	L	E	F	T	K	A	R	S	U	P	R	N	H
G	A	T	R	S	C	D	A	J	E	A	R	E	I	C
E	S	U	R	M	H	M	R	B	P	S	L	C	D	R
H	I	I	I	W	U	E	U	S	E	A	E	A	R	E
T	F	R	E	E	P	F	W	L	R	E	L	A	E	A
L	T	H	S	P	F	E	F	L	C	T	C	F	T	M
A	C	L	E	E	N	F	B	I	T	E	F	I	T	S
E	I	P	T	E	A	R	L	Y	N	O	O	K	U	Y
H	F	L	O	W	E	R	S	H	C	N	U	R	B	J

Bacon, Bake, Bite, Brunch, Buffet, Butter, Cafes, Cereal, Chew, Coffee, Cream, Crepes, Crumpets, Dawn, Diner, Early, Eats, Eggs, Fare, First, Flapjacks, Flowers, Fruit, Health, Hotel, Juice, Ketchup, Marmalade, Meal, Melon, Milk, Muesli, Newspaper, Nook, Pear, Pepper, Restaurant, Rich, Room, Rush, Salt, Sausage, Serviette, Slow, Steak, Strawberries, Table, Teas, Toast, Tray, Trim, Waffles, Wake up.

Browning Is the Author

G	S	E	X	A	R	P	S	R	R	E	A	D	S	O
L	A	C	I	G	O	L	O	H	C	Y	S	P	A	R
W	R	I	T	E	L	M	K	E	S	N	L	Y	M	D
C	A	H	T	E	A	B	I	R	M	A	U	E	A	E
S	L	I	T	N	Y	P	M	O	O	Q	R	T	R	R
D	C	O	C	E	R	L	N	O	O	W	E	T	D	S
N	U	E	I	E	B	O	A	L	T	R	E	B	O	R
E	R	C	T	S	L	A	I	T	T	E	R	R	A	B
P	G	S	H	O	T	L	Z	I	I	R	D	T	N	S
S	A	A	G	E	O	E	D	I	N	E	S	A	D	C
M	M	U	I	S	S	E	R	H	L	S	L	E	R	I
A	E	E	L	R	S	S	R	L	A	E	I	R	E	R
S	T	I	O	I	R	I	O	L	V	P	P	G	A	Y
K	O	O	B	P	N	A	C	L	I	P	P	I	H	L
H	S	I	L	G	N	E	M	A	L	F	O	Y	E	T

Andrea, Barrett, Book, Class, Cloister, Date, Dramas, Duchess, Elizabeth, English, Flame, Gait, Great, Happy, Insight, Italy, Lippi, Lippo, Lyrics, Marriage, Masterpiece, Monologues, Orders, Pauline, Poems, Poetic, Praxes, Psychological, Reads, Rely, Ring, Robert, Romance, Sarto, Soliloquy, Sordello, Spends, Tells, Tides, Tomb, Work, Write.

Squeaky Clean

T	S	E	D	O	M	S	E	R	A	S	E	S	H	A
C	S	Y	R	I	A	A	H	N	N	B	P	S	S	E
E	P	E	E	W	S	N	T	A	I	E	I	R	B	R
F	R	P	S	T	O	I	T	T	V	F	W	L	A	A
R	U	R	O	N	S	T	N	A	T	E	E	I	L	Y
E	C	E	H	E	Y	A	L	F	M	A	N	R	S	B
P	E	H	P	C	D	R	H	P	E	S	E	I	E	U
V	L	T	A	O	I	Y	T	C	V	C	R	N	H	R
A	I	A	O	N	T	Y	A	B	O	O	T	S	S	C
C	E	L	S	N	E	F	H	R	R	M	F	E	I	S
U	V	P	L	I	I	I	D	O	P	E	B	O	D	R
U	O	I	A	L	G	R	O	O	M	E	D	N	A	F
M	M	N	T	B	R	U	S	H	I	E	A	G	R	M
S	E	E	E	C	U	P	S	N	E	H	S	E	R	F
P	R	I	S	T	I	N	E	S	N	A	E	L	C	S

Airy, Antiseptic, Area, Bill, Boots, Brush, Chaste, Cleanse, Comb, Come, Cups, Dishes, Disinfected, Empty, Erase, Face, Filter, Fish, Foam, Free, Freshen, Groomed, Hands, Home, Hose, Improve, Innocent, Labs, Lather, Lave, Modest, Natty, Neat, Perfect, Pine, Pristine, Purify, Rags, Rains, Record, Refine, Remove, Renew, Rinse, Sanitary, Scrub, Shaven, Slate, Soap, Spray, Spruce, Sweep, Tidy, Vacuum.

Now I Lay Me Down to Sleep

Y	K	C	U	T	E	S	I	D	E	E	R	O	N	S
L	T	S	M	S	N	N	S	E	D	E	R	I	T	T
O	A	U	W	H	R	A	I	E	Z	O	O	N	S	E
S	W	N	A	O	T	E	M	P	R	S	Z	E	M	E
E	W	E	R	E	L	Y	V	R	U	T	R	I	I	H
S	B	I	T	U	B	L	H	O	O	S	T	T	N	S
C	I	E	N	A	T	R	I	R	C	D	H	A	G	G
R	R	L	L	K	N	C	E	P	E	G	R	N	M	A
A	C	L	E	I	S	R	O	B	I	Y	I	E	D	B
D	U	S	A	N	E	A	E	N	M	H	A	R	A	S
L	A	R	O	C	C	T	M	B	T	U	O	R	A	M
E	B	C	L	O	A	E	M	A	I	P	L	U	P	R
S	N	I	U	D	Y	U	E	I	J	H	R	S	R	A
U	N	C	E	E	N	R	Y	F	L	A	T	U	H	S
E	H	S	S	A	B	E	D	A	R	K	P	L	O	P

Abed, Arms, Bags, Beauty, Bedtime, Brain, Breathing, Couch, Covers, Cradles, Crib, Dark, Deep, Dormant, Dozing, Dream, Drop, Ease, Eyes, Flat, Hibernate, Hours, Lose, Lullaby, Mattress, Milk, Nightie, Nocturnal, Numb, Pajamas, Pillows, Plop, Prayer, Recline, Rest, Rhythm, Sedate, Sheets, Shut, Side, Silence, Slumber, Snooze, Snore, Supine, Tired, Tuck, Unconscious, Winks.

National Anthems

R	H	S	C	I	R	Y	L	O	T	T	O	M	E	T
T	O	E	V	A	R	B	H	S	O	Y	A	R	P	S
R	G	H	R	A	E	S	T	C	I	S	E	O	O	A
D	O	S	T	O	N	A	P	T	R	L	D	U	H	C
I	V	E	T	U	N	E	R	E	T	A	L	E	H	R
N	E	I	I	D	A	I	G	I	A	S	N	E	E	E
N	R	M	D	C	B	I	T	O	P	K	R	O	C	D
O	N	E	E	U	O	N	C	O	W	I	E	I	M	G
I	M	N	T	N	T	I	L	O	S	G	V	R	N	T
T	E	E	I	S	L	I	R	H	A	R	E	I	N	S
I	N	Y	N	B	T	D	E	T	E	C	T	A	S	U
D	T	P	U	I	D	E	I	S	R	A	H	O	G	R
N	N	P	C	H	A	R	T	E	R	C	R	O	N	T
E	E	A	L	L	E	G	I	A	N	C	E	F	I	L
R	L	H	B	H	R	F	A	N	F	A	R	E	S	R

Adopt, Allegiance, Author, Band, Banner, Brave, Chant, Charter, Cherish, Choir, Cross, Deeds, Duties, Enemies, Fanfare, Fate, Fierce, Government, Happy, Heritage, Hero, Hope, Life, Lyrics, Monarchy, Motto, Patriot, Peace, Political, Pray, Rating, Read, Region, Rendition, Republic, Sacred, Service, Sing, Souls, Speaker, Stand, Stern, Title, Tribute, Trust, United, Word.

My Old Jeans

F	C	N	N	E	E	N	I	F	N	T	T	A	M	T
L	O	O	C	O	W	E	A	R	V	A	H	O	H	Y
Z	K	I	M	E	T	S	O	M	I	B	O	G	O	D
I	R	T	R	F	H	T	R	L	E	D	I	D	I	U
P	A	C	B	I	O	B	O	L	S	A	E	S	I	T
P	D	A	O	T	E	R	T	C	R	H	C	D	S	S
E	A	N	O	S	E	A	T	T	S	O	R	A	A	S
R	U	T	T	D	Y	N	S	A	L	T	L	I	L	F
G	E	L	T	O	D	D	W	O	B	E	Y	L	N	P
D	L	A	B	E	L	E	R	X	D	L	A	L	O	K
S	E	W	N	U	R	A	N	O	A	R	E	C	E	W
D	O	T	S	P	T	N	M	I	E	L	K	N	A	M
C	E	U	A	I	A	T	E	V	M	E	E	I	I	T
E	I	S	O	I	Z	I	O	E	T	A	S	R	C	L
T	S	N	U	G	L	E	R	N	T	T	A	N	K	

Action, Belt, Best, Blue, Boot, Brand, Button, Comfortable, Cool, Cotton, Cowboy, Crew, Dark, Denim, Detail, Discoloration, Faded, Fashion, Fine, Fits, Kick, Label, Last, Leg, Line, Model, Mood, Name, Neat, Overalls, Pair, Pattern, Pocket, Prewashed, Price, Relax, Sewn, Shrink, Size, Snug, Straight, Study, Style, Suit, Tailored, Tank, Teen, Tight, Torn, Trim, Used, Waist, Wear, Zipper.

Let It Snow!

C	O	L	D	M	A	F	R	E	S	E	H	C	N	I
R	H	M	L	R	O	R	D	E	G	B	O	A	R	D
Y	S	R	E	O	I	I	D	D	T	A	O	B	N	S
S	E	O	I	T	L	F	U	N	C	N	L	O	K	R
T	R	F	F	S	D	R	T	C	U	I	I	I	T	E
A	F	O	F	E	T	R	U	T	Z	T	S	W	N	S
L	S	A	L	L	E	M	O	Z	A	S	H	O	E	E
S	L	U	S	H	U	B	A	T	T	I	O	L	L	H
L	G	L	T	L	O	R	I	S	T	L	V	B	E	C
E	Y	A	A	G	D	P	R	E	Y	P	E	F	G	N
C	E	T	G	B	I	S	A	I	A	Z	L	M	N	A
W	E	A	S	C	P	C	A	R	E	A	A	A	A	L
S	N	L	E	O	O	A	T	E	K	S	T	H	Y	A
S	E	R	R	O	R	R	R	E	W	A	T	E	R	V
D	P	T	L	E	A	F	S	L	E	I	G	H	S	A

Accumulate, Angel, Avalanche, Ball, Blizzard, Blow, Board, Boots, Christmas, Cold, Cool, Crystals, Deluge, Drift, Fall, Field, Flakes, Flurries, Form, Freeze, Fresh, Frosty, Hazy, Inches, Leaf, Line, Melt, Parka, Part, Play, Precipitation, Scarf, Shoe, Shovel, Ski, Sled, Sleighs, Slide, Slush, Soft, Sport, Storm, Toboggans, Trudge, Tundra, Water, Weather, White, Winter.

M	E	C	H	A	N	I	S	M	W	S	E	T	O	N
S	E	R	V	E	S	E	U	I	I	X	T	L	A	O
Y	S	M	K	H	N	T	P	M	P	N	O	I	K	I
E	L	O	O	I	S	E	P	E	T	S	D	C	R	T
G	J	R	L	R	N	S	R	I	E	S	O	F	E	C
A	T	E	A	G	I	I	E	E	R	L	R	D	U	E
R	G	A	R	E	E	E	S	C	B	C	A	I	M	L
O	A	A	S	N	C	G	S	U	O	M	S	S	F	L
T	M	N	C	K	O	O	B	E	R	R	E	K	N	O
S	E	E	D	O	O	B	R	E	T	U	P	M	O	C
M	S	T	D	O	L	R	T	C	C	E	P	T	E	E
A	T	E	S	E	M	A	H	O	R	A	N	I	C	R
E	A	T	C	A	F	I	T	U	O	K	C	A	L	B
R	G	X	R	C	P	N	D	A	T	A	R	H	L	S
D	E	K	L	L	A	C	E	R	E	T	I	C	E	R

Access, Aids, Blackout, Block, Book, Brain, Bubble, Cache, Chip, Computer, Cool, Data, Disk, Dream, Early, Engram, Excel, Experiences, Fact, First, Games, Good, Joke, Lane, Lose, Loss, Mark, Mechanism, Memories, Mindful, Notes, Past, Process, Random, Recall, Recite, Recollection, Remember, Rote, Sale, Script, Senile, Serves, Short, Slip, Stage, Stir, Storage, Suppress, Task, Term, Trace, Wipe.

Dolls

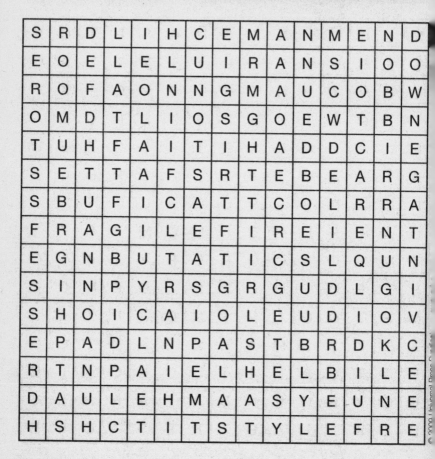

S	R	D	L	I	H	C	E	M	A	N	M	E	N	D
E	O	E	L	E	L	U	I	R	A	N	S	I	O	O
R	O	F	A	O	N	N	G	M	A	U	C	O	B	W
O	M	D	T	L	I	O	S	G	O	E	W	T	B	N
T	U	H	F	A	I	T	I	H	A	D	D	C	I	E
S	E	T	T	A	F	S	R	T	E	B	E	A	R	G
S	B	U	F	I	C	A	T	T	C	O	L	R	R	A
F	R	A	G	I	L	E	F	I	R	E	I	E	N	T
E	G	N	B	U	T	A	T	I	C	S	L	Q	U	N
S	I	N	P	Y	R	S	G	R	G	U	D	L	G	I
S	H	O	I	C	A	I	O	L	E	U	D	I	O	V
E	P	A	D	L	N	P	A	S	T	B	R	D	K	C
R	T	N	P	A	I	E	L	H	E	L	B	I	L	E
D	A	U	L	E	H	M	A	A	S	Y	E	U	N	E
H	S	H	C	T	I	T	S	T	Y	L	E	F	R	E

Baby, Care, Child, Clothes, Collection, Cuddle, Cute, Dear, Down, Dress, Eyes, Face, Felt, Figurine, Fragile, Gifts, Girls, Hair, Handcrafted, Head, Heal, House, Huggable, Kids, Mend, Miniature, Modern, Name, Neat, Nice, Original, Outfit, Plastic, Play, Popular, Porcelain, Realistic, Ribbon, Room, Rubber, Shape, Sing, Smiling, Soft, Stitch, Store, Style, Tall, Trade, Vintage, Wood.

T	T	N	E	C	R	E	P	O	R	T	S	E	E	K
L	C	P	R	O	G	R	E	S	S	E	S	V	E	N
U	O	S	M	E	M	O	R	Y	R	S	H	E	S	A
S	N	C	L	E	V	E	R	S	E	T	G	L	I	T
E	C	I	K	A	T	T	S	Z	A	S	U	B	C	E
R	L	E	S	S	E	T	I	S	C	E	O	A	E	N
P	U	N	B	M	C	N	A	I	T	U	R	T	R	A
U	D	C	O	E	A	S	T	L	S	Q	H	A	P	D
B	E	E	J	G	C	S	H	P	A	T	T	E	R	N
L	G	B	R	I	I	T	E	L	R	U	K	P	E	U
I	U	O	S	T	Y	U	O	L	A	T	A	E	D	M
S	H	Y	A	A	A	D	R	I	N	I	E	R	I	B
H	H	T	S	L	T	Y	Y	M	G	M	R	X	C	E
P	S	S	E	S	S	A	Y	I	E	E	B	T	T	R
E	A	T	A	D	J	U	S	T	M	E	N	T	S	S

Adjustments, Assay, Attempt, Breakthroughs, Conclude, Data, Essay, Geometry, Goals, Huge, Jobs, Levers, Limit, Locks, Memory, Mundane, Numbers, Organize, Pattern, Percent, Physics, Precise, Predict, Progress, Publish, Quests, Range, Reacts, Repeatable, Reports, Result, Science, Seek, Sites, Statistics, Study, Subjects, Tank, Texts, Theory, Time, Trial.

Italian Marble

P	P	B	E	M	S	L	A	R	D	E	H	T	A	C
S	I	I	A	L	O	S	Q	U	A	R	R	I	E	S
B	T	E	H	S	O	U	G	C	Y	I	E	L	D	E
O	L	S	T	C	E	I	N	N	E	L	A	C	S	U
T	N	O	U	R	O	R	A	T	I	R	P	U	L	T
S	A	A	C	B	A	M	A	V	A	R	E	P	P	A
T	E	E	Z	K	E	S	M	V	R	I	U	A	U	T
P	T	S	N	Z	N	W	A	I	E	E	N	D	L	S
A	E	U	A	M	I	C	I	N	S	Z	C	S	N	A
S	S	D	U	C	C	D	F	T	T	S	Z	I	R	E
T	T	L	I	I	R	A	E	W	C	A	I	A	L	S
O	O	U	O	G	M	I	H	B	S	H	R	O	L	S
C	N	N	D	O	R	I	A	S	R	R	I	A	N	R
K	E	E	U	I	T	E	A	T	A	I	B	N	N	S
S	E	S	U	E	O	M	E	C	S	S	S	S	G	K

Base, Bedizzano, Bewitching, Block, Busts, Carrara, Cathedrals, Cervaiole, Chip, Columns, Commissions, Debris, Enduring, Famous, Massa, Mountains, Neat, Pedigree, Pietrasanta, Quarries, Querceta, Rank, Ravaccione, Real, Scale, Seravezza, Slabs, Slice, Staircases, Statues, Stocks, Stone, Studio, Supply, Uses, White, Yield.

Lamb's-Lettuce

S	U	N	O	B	T	D	E	N	T	O	G	M	E	M
N	A	P	A	N	I	L	L	A	G	A	P	S	A	R
A	E	I	A	M	B	T	L	I	L	C	M	C	T	K
N	L	L	I	E	A	E	I	W	U	H	A	C	D
C	P	L	D	E	S	S	N	D	I	E	L	A	I	L
A	I	E	E	L	H	E	T	D	E	A	P	F	R	S
E	E	H	E	N	L	G	O	O	S	E	F	O	O	T
S	P	G	T	L	A	P	U	D	P	E	W	N	T	T
A	O	O	A	I	O	I	L	T	R	I	C	G	S	U
V	C	N	R	N	L	E	R	E	T	I	C	E	I	S
Y	C	I	E	U	F	O	N	E	N	A	D	K	H	P
W	T	H	R	E	E	T	E	O	L	O	L	A	E	M
E	C	T	E	E	R	A	R	N	M	A	P	H	R	D
H	R	D	U	F	M	G	A	B	R	E	V	S	P	E
C	B	L	A	N	D	A	P	R	A	C	O	I	R	E

America, Bite, Bland, Bonus, Chef, Chenopodium, Chewy, Different, Edible, Erba, Eriocarpa, Europe, Feed, Feldsalat, Galinella, Goosefoot, Green, Lattughelia, Mache, Meal, Modest, Names, Neolithic, Nutty, Open, Pack, Picked, Pigweed, Plant, Prehistoric, Rare, Raspagallina, Seed, Shake, Shape, Soncino, Valerianella, Vogelsalat, Wild.

Science Lab

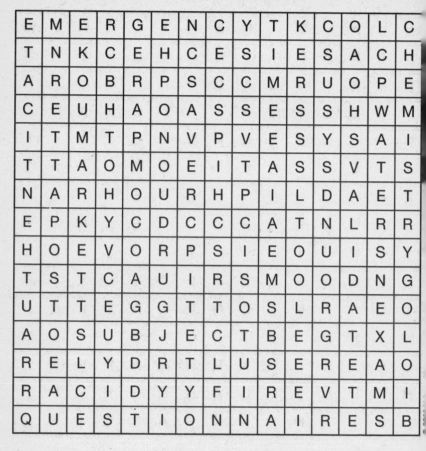

E	M	E	R	G	E	N	C	Y	T	K	C	O	L	C
T	N	K	C	E	H	C	E	S	I	E	S	A	C	H
A	R	O	B	R	P	S	C	C	M	R	U	O	P	E
C	E	U	H	A	O	A	S	S	E	S	S	H	W	M
I	T	M	T	P	N	V	P	V	E	S	Y	S	A	I
T	T	A	O	M	O	E	I	T	A	S	S	V	T	S
N	A	R	H	O	U	R	H	P	I	L	D	A	E	T
E	P	K	Y	C	D	C	C	A	T	N	L	R	R	R
H	O	E	V	O	R	P	S	I	E	O	U	I	S	Y
T	S	T	C	A	U	I	R	S	M	O	O	D	N	G
U	T	T	E	G	G	T	T	O	S	L	R	A	E	O
A	O	S	U	B	J	E	C	T	B	E	G	T	X	L
R	E	L	Y	D	R	T	L	U	S	E	R	E	A	O
R	A	C	I	D	Y	Y	F	I	R	E	V	T	M	I
Q	U	E	S	T	I	O	N	N	A	I	R	E	S	B

Acid, Aptitude, Assess, Authenticate, Biology, Case, Check, Chemistry, Clock, Compare, Doctor, Drivers, Drug, Emergency, Exams, Grounds, Hour, Mark, Microphone, Necessary, Paper, Pass, Pattern, Physics, Post, Pour, Probe, Propose, Prove, Questionnaire, Rely, Research, Result, Save, Scan, Stress, Study, Subject, Tester, Time, Tool, Trial, Tryout, Tube, Validate, Verify, Waters.

Talk Show Hosts

N	D	A	Y	T	I	M	E	E	Y	N	N	U	F	W
S	E	T	S	C	I	E	N	C	E	V	O	I	C	E
E	S	W	L	S	A	O	B	N	L	E	O	S	L	E
I	I	I	S	U	H	R	A	A	L	K	N	C	A	K
R	V	U	D	P	D	G	N	D	H	O	R	A	P	L
E	E	I	E	E	N	A	D	O	I	J	E	E	Y	Y
S	L	L	E	I	K	G	N	T	I	T	T	M	L	S
S	E	N	N	W	N	I	A	O	S	T	F	E	I	N
T	T	E	A	I	R	S	C	T	I	S	A	H	A	A
N	V	A	N	I	R	A	R	K	E	N	E	T	D	F
E	R	R	R	E	D	O	D	C	L	C	I	R	S	O
M	O	U	V	O	P	E	A	I	R	A	I	P	P	R
M	A	N	T	E	M	F	M	P	O	O	T	S	O	U
O	O	I	R	E	C	U	D	O	R	P	W	L	U	M
C	A	L	L	E	R	S	H	T	C	L	E	D	O	M

Adult, Afternoon, Band, Callers, Clap, Comedian, Comments, Conversations, Crowd, Daily, Dance, Daytime, Evening, Faces, Fans, Forum, Funny, Humor, Issues, Joke, Mail, Model, Morning, Music, News, Opinion, Press, Producer, Racy, Radio, Reports, Return, Role, Science, Series, Sidekick, Star, Station, Talk, Telephone, Televised, Theme, Topic, View, Voice, Weekly, Yell.

Work, Work, Work

N	O	I	T	A	R	E	N	U	M	E	R	S	L	A
V	H	A	N	D	S	S	E	L	K	C	E	E	A	P
M	A	R	K	E	T	V	P	S	I	C	L	R	T	P
T	T	L	R	I	A	O	A	W	R	O	A	O	I	R
N	R	O	U	E	N	T	R	E	S	N	T	H	P	E
E	O	R	L	E	D	W	T	A	S	T	I	C	A	N
M	F	E	A	L	A	A	Y	T	S	R	O	M	C	T
E	F	M	I	M	R	G	E	D	E	A	N	O	N	I
G	E	O	N	Y	D	E	I	L	N	C	S	O	B	C
A	E	C	E	R	S	S	I	S	I	T	I	S	F	E
N	H	N	M	B	P	N	L	P	S	N	C	D	E	M
A	O	I	O	U	G	A	A	A	U	A	L	C	I	P
M	U	J	T	C	V	I	T	E	B	I	R	T	H	L
T	R	E	X	E	N	E	E	H	H	O	M	E	C	O
Y	S	U	B	S	P	M	A	C	F	D	R	A	H	Y

Apprentice, Birth, Boots, Business, Busy, Camp, Capital, Cheap, Chief, Child, Chore, Contract, Dispute, Effort, Employ, Exert, Force, Fruits, Hands, Hard, Hireling, Home, Hours, Income, Jobs, Late, Leader, Leave, Management, Market, Menial, Pains, Party, Relations, Remuneration, Scab, Secretary, Slave, Standards, Sweat, Task, Toil, Toll, Union, Value, Wages.

L	I	N	V	A	L	I	D	K	N	A	L	B	C	W
A	O	O	N	U	M	B	E	R	E	S	E	T	O	E
I	I	A	E	C	M	A	T	H	E	D	V	L	U	A
D	V	P	D	E	O	H	I	S	U	I	E	C	N	T
E	I	O	U	I	C	S	N	T	P	B	L	C	T	H
R	M	G	T	L	N	A	I	N	S	E	A	A	D	E
U	N	I	I	I	S	G	F	N	A	E	E	R	O	R
T	O	Z	T	T	N	E	N	R	E	U	S	D	W	G
A	I	C	A	O	O	G	I	E	U	T	G	S	N	S
R	T	C	L	A	I	M	L	E	S	S	N	H	O	L
E	A	T	L	E	T	M	N	O	N	E	E	I	T	L
P	T	T	I	L	A	P	T	Y	H	O	U	R	O	O
M	O	N	I	U	U	N	A	R	B	E	G	L	A	P
E	N	L	A	O	Q	N	T	P	U	R	K	N	A	B
T	E	L	E	M	E	T	R	Y	R	O	T	C	E	V

Algebra, Ante, Bankrupt, Bare, Below, Blank, Cards, Claimless, Clean, Clear, Cosine, Countdown, Dial, Digit, Equation, Goalie, Hour, Infinite, Invalid, Latitude, Loading, Longitude, Losses, Math, Naught, None, Notation, Null, Number, Point, Pole, Polls, Pulse, Quit, Ratio, Reset, Sea level, Speed, Surface, Telemetry, Temperature, Time, Values, Vector, Void, Voting, Weather, Zilch.

Walls Have Ears

M	J	N	H	C	T	I	W	S	R	K	S	E	D	K
O	S	O	O	A	B	O	V	E	A	C	C	R	N	C
O	N	O	I	I	D	M	A	N	N	I	A	O	A	A
R	D	O	U	N	T	R	I	I	I	H	I	B	L	R
W	O	I	I	N	E	A	H	L	H	T	L	L	R	C
R	E	W	G	T	D	T	L	O	C	E	A	E	R	F
E	P	I	S	I	A	P	L	U	G	H	T	E	C	O
P	S	A	V	D	R	R	R	D	S	S	D	L	I	H
A	L	I	I	I	E	T	A	O	O	N	O	T	O	E
P	D	L	S	N	S	N	D	P	O	S	I	M	C	N
E	O	O	R	N	T	L	O	W	E	F	E	N	I	E
S	N	K	O	E	I	I	N	T	F	S	E	L	I	T
S	O	C	C	U	T	S	N	A	S	F	R	D	O	I
E	S	A	B	A	U	U	R	G	I	E	H	G	I	H
S	O	C	K	E	T	G	O	R	B	L	O	C	K	W

Above, Base, Berlin, Block, Build, Cable, China, Climb, Clock, Closet, Construction, Crack, Desk, Divide, Fence, Graffiti, Hall, Hard, High, Hole, Home, Insulation, Join, Line, Loud, Nail, Outer, Painting, Paper, Plaster, Plug, Poster, Prisons, Rear, Rigid, Room, Rows, Separation, Sign, Socket, Solid, Soundproofed, Stone, Stucco, Switch, Tack, Thick, Thin, Tile, View, White, Window, Wonder.

Various Tools

S	T	E	N	C	I	L	E	N	N	U	F	O	R	K
T	R	T	R	O	W	E	L	E	P	L	A	C	S	E
C	I	E	O	H	O	E	S	L	E	K	A	R	O	N
I	M	H	Z	N	V	P	E	N	S	J	A	C	K	I
R	M	C	A	E	G	V	S	I	R	E	M	M	A	H
T	E	A	R	E	E	S	H	E	H	T	Y	C	S	C
C	R	M	L	L	S	W	A	S	E	S	L	S	L	A
E	O	A	A	D	R	R	T	H	U	A	K	I	E	M
L	S	T	D	E	V	I	C	E	M	R	P	C	S	L
E	E	S	N	E	R	T	H	P	H	P	B	K	I	B
M	L	C	E	N	A	I	E	O	E	E	L	L	H	P
O	H	D	R	R	O	N	T	R	F	L	A	E	C	R
O	V	E	N	A	P	G	S	I	X	D	D	V	E	O
R	E	G	U	A	N	D	N	E	M	A	E	E	Y	B
B	R	A	N	D	H	K	O	O	H	L	L	I	B	E

Auger, Billhook, Blade, Brand, Broom, Brush, Chisel, Clamp, Clippers, Crank, Device, Electric, Fork, Funnel, Hammer, Handle, Hatchet, Heavy, Hoes, Jack, Knife, Ladle, Level, Lever, Machete, Machine, Mend, Metal, Needle, Oven, Pens, Picks, Press, Probe, Rake, Ratchet, Razor, Reamer, Reel, Rope, Sale, Saws, Scalpel, Scythe, Shears, Sickle, Spoon, Stencil, Tongs, Trimmer, Trowel, Whisk, Wrench, Writing.

Continental Cuisine

S	E	E	O	S	E	I	D	A	L	L	S	P	Y	S
F	O	N	C	R	E	C	S	I	Y	T	A	R	R	L
E	H	U	I	N	D	H	O	E	N	C	I	E	A	I
H	C	O	P	S	A	E	S	A	N	N	N	P	V	A
C	G	I	L	S	I	G	R	I	E	I	E	A	S	N
N	L	A	V	L	N	U	E	S	D	G	W	R	F	S
L	A	F	S	R	A	O	C	L	E	H	A	A	S	W
C	E	A	L	T	E	N	I	T	E	A	S	T	A	O
S	M	M	S	O	R	S	D	T	R	S	F	I	O	C
Y	E	E	A	O	W	O	T	A	C	E	T	O	F	P
R	R	C	C	H	N	E	N	M	I	E	S	N	O	B
T	I	E	U	E	C	G	R	O	R	S	L	S	E	D
S	D	O	N	A	E	E	N	S	M	O	E	E	E	G
A	F	I	N	E	S	S	B	A	T	Y	F	S	S	D
P	L	E	A	S	A	N	T	S	E	S	E	E	H	C

Bechamel, Beef, Cheeses, Chefs, Cuisine, Decor, Dessert, Dinners, Dishes, Elegance, Fame, Fancy, Fine, Fish, Flowers, Form, Gastronomy, Gents, Hollandaise, Ladies, Linen, Meal, Orders, Pastry, Pleasant, Potage, Preparations, Range, Restaurants, Sauces, Seafood, Selections, Service, Snails, Soups, Tabs, Tips, Vary, Veal, Waiters, Wines.

Curio Cabinets

S	L	N	M	C	O	E	T	E	S	E	S	L	P	S
B	E	A	O	I	M	I	D	U	L	R	U	I	L	R
H	U	I	S	I	N	A	O	D	E	I	N	L	E	E
E	E	D	T	T	I	J	K	E	K	G	X	B	W	
G	J	I	S	E	C	I	A	A	N	T	C	A	E	O
T	N	A	R	E	I	M	D	T	D	L	F	V	R	L
R	C	I	R	L	S	R	L	A	U	E	S	A	A	F
E	P	P	R	S	O	A	A	S	R	R	T	S	R	E
A	M	L	A	E	T	O	I	V	I	T	E	E	S	C
S	U	L	A	S	M	V	M	T	N	N	K	S	L	A
U	G	I	Y	T	E	M	O	S	G	U	S	L	E	F
R	S	R	O	S	E	T	I	H	W	P	A	L	M	M
E	C	B	I	R	D	S	S	H	N	S	B	E	M	I
S	E	C	E	I	P	R	E	T	S	A	M	B	U	R
S	P	A	P	E	R	W	E	I	G	H	T	S	H	T

Baskets, Bells, Birds, Blue, Buds, Crafted, Crystal, Date, Enduring, Exclusive, Face, Flowers, Fragile, Glassmakers, Heirlooms, Hummels, Jade, Jars, Last, Masterpieces, Miniatures, Mugs, Paperweights, Pink, Plates, Precious, Rare, Rose, Sets, Shimmering, Spun, Time, Tints, Tradition, Treasures, Trim, Varieties, Vases, White.

Playoffs

B	D	F	F	A	M	E	N	O	I	S	I	C	E	D
E	L	E	A	D	V	E	S	A	R	E	N	A	E	E
H	O	C	K	E	Y	E	D	I	W	W	L	F	E	F
I	G	G	N	I	R	L	H	A	O	A	E	T	T	E
N	L	T	O	I	R	C	R	R	R	N	R	R	I	A
D	O	N	E	A	N	E	C	A	D	A	O	D	L	T
S	R	S	K	I	L	L	V	E	E	P	P	S	E	T
E	Y	A	L	A	B	Y	R	L	H	Y	P	E	N	A
T	B	C	Y	W	R	E	L	Y	I	O	O	A	O	C
A	E	A	H	O	I	A	S	S	R	S	N	P	C	K
D	K	U	T	E	B	N	S	T	U	N	E	I	H	E
R	N	C	G	T	E	O	S	P	E	N	N	S	A	E
I	I	U	O	A	L	R	S	P	E	A	T	L	M	G
V	R	O	O	G	E	E	S	R	U	E	M	A	P	D
E	F	F	O	R	T	L	W	O	B	C	G	S	S	E

Arena, Attack, Award, Battle, Behind, Best, Bets, Bowl, Champs, Cheers, Clinch, Crown, Cups, Dates, Decision, Defeat, Defender, Drive, Edge, Effort, Elite, Event, Fame, Football, Gain, Game, Gate, Glory, Goal, Gold, Hockey, Hype, Lead, League, Loss, Noise, Opener, Opponent, Pace, Parade, Pennant, Relay, Rink, Round, Series, Silver, Skill, Sports, Teams, Title, Trophy, Upset, Victory, Wins, Yearly.

The Tony Awards

G	O	W	N	S	A	L	A	G	T	E	G	A	T	S
E	S	E	L	O	R	M	Y	R	R	E	P	Y	R	W
S	N	E	E	H	M	A	A	E	O	R	A	E	E	S
U	O	V	T	L	E	I	T	R	E	W	T	R	E	T
A	I	P	E	T	C	A	N	S	D	O	C	M	S	M
L	T	N	S	I	E	G	E	A	V	A	U	A	A	U
P	A	A	N	H	I	N	O	L	T	T	C	N	C	S
P	T	E	T	S	T	R	I	E	S	I	H	T	T	I
A	C	E	E	E	B	G	G	O	K	A	O	U	O	C
S	E	D	R	S	H	O	C	R	T	O	F	N	R	A
Y	P	S	W	T	R	L	O	T	R	N	O	E	S	L
A	X	E	I	I	A	Y	A	E	H	U	A	B	L	S
L	E	N	E	S	W	N	E	O	T	N	E	L	A	T
P	G	S	S	E	I	H	P	O	R	T	I	T	L	E
S	W	I	N	S	C	E	R	E	M	O	N	I	E	S

Actors, Antoinette, Applause, Book, Broadway, Cast, Categories, Ceremonies, Cheer, Class, Costumes, Crew, Design, Drama, Expectations, Gala, Gowns, Hope, Lighting, Live, Manhattan, Musicals, New York, Nominations, Panel, Perry, Plays, Presenters, Roles, Scenic, Stage, Stars, Sweep, Talent, Taste, Tears, Theater, Title, Trophies, Tune, Voters, Wins.

Village Life

S	E	R	C	A	T	C	I	R	T	S	I	D	L	I
H	P	X	D	O	O	H	R	O	B	H	G	I	E	N
E	U	I	P	U	Z	E	D	U	E	O	N	O	A	T
L	O	M	R	A	M	Y	I	N	T	H	N	S	D	I
P	R	A	A	O	N	L	O	S	A	S	L	D	E	M
O	G	G	T	N	D	D	L	B	M	L	E	A	R	A
E	T	E	I	I	E	F	I	L	I	A	S	D	S	T
P	N	S	N	S	H	T	S	H	L	Y	L	I	O	E
O	A	G	L	I	A	A	W	I	C	E	Y	L	L	M
T	S	T	D	N	E	V	M	O	U	N	T	A	I	N
O	A	D	T	D	A	I	C	S	O	U	U	N	D	S
W	E	S	I	L	T	L	M	L	B	D	E	B	N	H
N	L	R	L	E	O	R	O	A	D	S	S	R	E	O
E	P	E	D	S	A	C	Y	L	I	M	A	F	S	R
D	Y	T	E	F	A	S	S	T	A	B	L	E	S	E

Acres, Barns, Bays, Bond, Buildings, Bunch, Climate, Close, Colony, Courage, Cozy, District, Dogs, Dune, Easy, Expand, Family, Farms, Group, Hidden, Hills, Humane, Images, Inhabitants, Intimate, Island, Leaders, Life, Limited, Mines, Modest, Mountain, Neighborhood, People, Pleasant, Pride, Remote, Roads, Safety, Shore, Silo, Small, Solidness, Stable, Town, Valley, Woods.

R	O	L	L	E	S	U	O	R	A	C	E	K	I	B
B	E	A	R	O	Y	O	Y	B	B	A	U	H	A	Y
S	K	C	U	R	T	A	F	A	R	M	S	B	A	R
E	C	I	R	T	C	E	L	E	E	U	Y	R	E	E
C	S	S	L	E	H	L	P	P	L	M	D	T	S	S
O	A	U	A	G	A	M	E	P	A	E	A	T	T	R
M	F	M	M	D	R	T	I	G	U	I	D	N	O	U
P	E	S	I	A	A	S	I	N	L	P	A	O	T	N
U	T	T	N	G	C	C	R	O	I	F	O	R	M	T
T	Y	I	A	H	T	T	E	A	N	A	S	T	R	A
E	O	K	O	L	E	S	I	I	L	H	T	A	O	B
R	P	O	N	Y	R	H	D	V	O	U	I	U	B	O
T	L	A	L	E	N	A	L	P	I	N	P	A	R	X
E	N	O	H	P	E	R	O	B	O	T	T	O	R	E
L	L	A	M	S	T	E	S	R	O	H	Y	Y	P	S

Activity, Amuse, Animal, Arts, Baby, Ball, Bath, Bear, Bike, Boat, Boxes, Carousel, Character, Computer, Cubes, Electric, Farm, Form, Gadget, Game, Horse, Infant, Kits, Magic, Metal, Miniature, Model, Musical, Name, Nursery, Phone, Plane, Play, Plush, Pony, Popular, Puppet, Recreation, Retail, Robot, Roll, Safety, School, Sets, Shape, Share, Shop, Small, Soldier, Tool, Tots, Train, Trucks, Yard, Yo-yo.

Tools and More

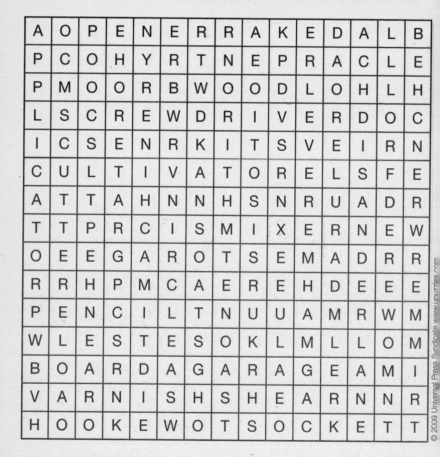

A	O	P	E	N	E	R	R	A	K	E	D	A	L	B
P	C	O	H	Y	R	T	N	E	P	R	A	C	L	E
P	M	O	O	R	B	W	O	O	D	L	O	H	L	H
L	S	C	R	E	W	D	R	I	V	E	R	D	O	C
I	C	S	E	N	R	K	I	T	S	V	E	I	R	N
C	U	L	T	I	V	A	T	O	R	E	L	S	F	E
A	T	T	A	H	N	N	H	S	N	R	U	A	D	R
T	T	P	R	C	I	S	M	I	X	E	R	N	E	W
O	E	E	G	A	R	O	T	S	E	M	A	D	R	R
R	R	H	P	M	C	A	E	R	E	H	D	E	E	E
P	E	N	C	I	L	T	N	U	U	A	M	R	W	M
W	L	E	S	T	E	S	O	K	L	M	L	L	O	M
B	O	A	R	D	A	G	A	R	A	G	E	A	M	I
V	A	R	N	I	S	H	S	H	E	A	R	N	N	R
H	O	O	K	E	W	O	T	S	O	C	K	E	T	T

Applicator, Blade, Board, Broom, Carpentry, Crank, Cultivator, Cutter, Farm, Garage, Glue, Grater, Hammer, Hand, Hatchet, Hold, Hook, Hose, Instrument, Kits, Ladder, Lever, Machinery, Mixer, Mower, Needle, Opener, Paint, Pencil, Plane, Rake, Repair, Roll, Ruler, Sander, Scoop, Screwdriver, Sealant, Sets, Shear, Socket, Storage, Stow, Tractor, Trimmer, Varnish, Wire, Wood, Work, Wrench.

Tax Time

I	N	V	E	S	T	M	E	N	T	S	N	E	T	S
A	B	L	E	D	R	S	C	S	P	I	A	X	O	S
A	I	A	E	Y	A	A	E	L	S	V	D	P	T	F
F	N	B	N	V	D	R	L	C	A	M	T	E	E	L
G	T	A	I	K	E	F	I	L	O	I	S	N	R	U
R	P	N	L	T	R	T	U	M	O	S	M	S	M	C
O	G	R	N	Y	S	E	A	N	A	D	T	I	S	T
S	I	I	O	I	S	P	S	R	D	R	A	V	L	U
S	R	L	T	F	L	T	E	E	E	S	K	E	A	A
R	E	A	O	A	I	R	F	N	I	N	E	E	U	T
I	T	C	N	F	A	T	E	I	D	T	E	N	T	I
S	U	S	U	H	T	W	O	R	G	I	I	G	U	O
K	R	T	S	R	E	R	U	T	U	F	N	U	M	N
T	N	E	C	R	E	P	O	S	L	A	O	G	Q	S
L	A	I	T	N	E	T	O	P	A	D	V	I	S	E

Able, Advise, Analyst, Assets, Bank, Claim, Cost, Credit, Debt, Dollars, Equities, Expensive, File, Fluctuations, Funds, Future, Generate, Gift, Goals, Gross, Growth, Interest, Investments, Market, Mutual, Nets, Options, Percent, Plans, Portfolio, Potential, Profit, Return, Risk, Savings, Secure, Share, Spending, Statistics, Take, Terms, Traders, Value.

Toulouse-Lautrec

A	F	N	O	M	F	F	S	S	E	D	A	H	S	R
D	R	I	F	T	Y	R	E	H	C	U	A	B	E	D
L	E	K	R	O	W	E	A	B	A	L	K	T	Y	S
U	P	M	C	N	F	N	U	N	L	R	N	K	I	N
F	U	S	R	P	E	C	C	S	C	I	E	R	R	G
R	T	U	I	O	R	H	N	S	A	E	A	O	I	S
O	A	O	P	R	F	O	R	P	H	P	T	R	T	O
L	T	M	P	C	B	E	L	C	O	A	L	U	N	S
O	I	A	L	L	C	R	D	I	R	S	D	E	E	V
C	O	F	E	N	C	S	U	T	F	I	T	S	G	A
M	N	M	A	S	E	A	S	S	E	I	U	E	R	S
A	A	D	T	N	E	U	N	S	H	C	C	T	R	N
N	T	Y	E	D	L	O	B	V	R	E	I	I	O	S
Y	L	C	O	L	O	R	S	I	A	S	S	N	A	L
E	S	W	I	L	L	K	C	O	T	S	T	N	I	T

Artist, Balk, Bold, Brushes, Canvas, Cheeky, Circuses, Colorful, Colors, Cripple, Crop, Dancers, Debauchery, Deformed, Drift, Famous, Fees, France, French, Girls, Halls, Henri, Illustrator, Legs, Many, Monfa, Nobleman, Painter, Paris, Posters, Prolific, Reputation, Scenes, Shades, Share, Stock, Studies, Style, Tints, Will, Work.

C	L	A	S	S	I	C	H	C	U	O	C	A	G	F
C	O	L	O	R	S	A	U	E	G	A	R	N	B	E
U	O	D	R	O	R	R	I	M	S	R	I	L	L	S
E	R	O	R	T	T	E	N	K	A	T	I	A	T	S
R	M	P	L	A	N	T	S	N	N	N	P	S	T	N
U	V	F	I	R	P	E	G	I	D	I	E	E	O	C
T	A	N	H	O	D	E	A	S	L	H	K	I	A	S
I	S	P	F	C	M	P	S	L	C	N	S	R	G	G
N	E	I	I	E	S	A	O	S	A	I	P	U	N	I
R	S	C	N	D	T	W	T	L	V	E	R	I	L	S
U	S	T	E	N	C	E	B	E	T	L	T	B	E	P
F	S	U	I	A	E	E	L	I	R	H	A	D	A	D
A	H	R	S	H	D	E	N	I	G	I	A	M	O	F
D	P	E	S	S	T	G	I	I	P	H	A	T	P	N
S	S	S	M	U	R	A	L	S	S	G	S	L	S	S

Arrangements, Beds, Blankets, Blinds, Care, Carpeting, Chests, Classic, Colors, Cool, Couch, Curtains, Decorators, Desks, Dots, Drapes, Fabrics, Fads, Fine, Furniture, Lamps, Lighting, Material, Mirror, Murals, Painting, Pale, Pictures, Pile, Pillowcases, Plants, Plush, Print, Rage, Rugs, Scheme, Shades, Sheets, Television, Vases.

Fruits and Vegetables

A	V	O	C	A	D	O	M	B	E	I	Y	B	S	O
C	P	O	O	M	H	O	E	K	W	R	A	A	R	S
E	R	R	E	S	R	E	O	I	R	N	E	A	U	S
N	S	E	I	E	T	H	K	E	A	P	N	G	N	S
S	R	D	L	C	C	R	B	N	Y	G	A	A	P	O
T	A	U	T	I	O	P	A	R	E	R	E	I	L	P
R	Y	P	T	I	S	T	R	W	A	B	N	I	L	M
R	L	R	O	A	U	E	A	P	B	A	V	U	A	O
A	A	E	R	D	B	R	S	N	C	E	M	Y	R	A
I	T	F	T	E	I	A	F	H	G	S	R	A	E	P
S	A	O	S	T	B	L	G	E	E	E	C	R	E	P
I	J	O	I	B	U	E	L	A	P	H	R	A	Y	L
N	O	D	A	T	E	C	U	A	I	A	C	I	E	E
G	S	E	V	I	D	N	E	L	R	H	R	E	N	S
Y	R	R	E	B	N	A	R	C	B	L	K	G	E	E

Apples, Apricot, Artichoke, Asparagus, Avocado, Banana, Beans, Beet, Blueberry, Corn, Cranberry, Date, Endive, Food, Grapefruit, Gooseberry, Kiwi, Leek, Lettuce, Morel, Olive, Orach, Orange, Peach, Pears, Peas, Plums, Radish, Raisin, Raspberry, Ripe, Rutabaga, Sapodilla, Soja, Spinach, Strawberry, Tangerine, Tree, Yam.

G	A	M	E	S	G	S	D	N	A	H	K	C	A	B
U	E	G	S	V	P	N	S	G	A	R	D	E	N	S
E	V	C	N	O	I	E	I	A	A	I	O	T	M	A
S	R	A	O	I	G	T	B	N	N	Z	R	O	T	R
T	E	L	I	A	H	U	A	E	I	U	E	M	M	S
S	S	F	T	N	I	C	X	V	O	A	O	B	T	S
O	T	T	A	L	S	E	A	C	O	S	R	S	O	F
H	O	U	D	C	L	T	L	E	P	N	A	T	O	S
C	C	I	O	P	I	U	R	H	T	I	N	R	P	Y
M	N	O	M	K	B	L	E	U	S	R	E	I	R	S
G	A	O	M	H	R	R	I	U	C	H	O	U	I	E
A	C	T	O	F	E	O	H	T	A	T	X	S	C	V
A	E	U	C	D	O	T	W	N	I	U	I	A	E	I
E	S	R	C	H	N	R	D	R	L	E	P	O	I	R
E	S	L	A	E	M	S	T	A	F	F	S	E	N	D

Accommodations, Area, Atmosphere, Backhands, Building, Clubhouse, Comfort, Complex, Cottages, Court, Dine, Drives, Enthusiasts, Facilities, Forehands, Games, Gardens, Gazebos, Guests, Hosts, Innovative, Instruction, Luxury, Match, Meals, Pace, Pools, Price, Resort, Rooms, Serve, Staff, Teaching, Training, Workouts.

George Sand

L	A	R	O	M	A	U	R	O	R	E	I	Y	G	D
S	Y	B	R	O	H	T	U	A	N	D	T	I	E	S
U	R	L	I	A	I	S	O	N	S	I	R	C	E	P
O	O	S	T	N	E	W	O	A	L	L	R	M	S	K
U	T	A	E	A	D	R	O	A	S	O	I	E	N	R
T	S	N	S	L	A	E	U	M	V	T	U	O	E	R
S	I	D	S	B	T	D	P	I	A	D	W	E	S	E
E	L	E	U	A	I	L	D	E	O	N	N	D	S	T
P	E	A	M	V	O	E	F	N	N	O	U	P	A	I
M	V	U	I	V	T	R	Y	R	I	D	E	L	E	R
E	O	D	E	R	E	M	I	P	E	C	E	L	R	W
T	N	R	E	E	S	R	E	V	I	N	A	N	I	I
I	S	S	D	R	O	W	A	A	T	M	C	S	C	N
T	S	E	L	A	T	N	L	E	E	I	C	H	H	E
A	R	I	G	H	T	S	D	F	N	I	P	O	H	C

Asserted, Aurore, Author, Baronne, Bind, Chopin, Divorced, Dudevant, Female, Free, French, Girl, Independence, Individuality, Known, Liaisons, Lovers, Mate, Moral, Musset, Novelist, Pioneer, Pseudonym, Rich, Rights, Sandeau, Soil, Special, Story, Talented, Tales, Tempestuous, Times, Toast, Verse, Wine, Woman, Words, Writer.

A	K	L	P	N	E	S	V	S	T	F	R	A	E	P
L	H	L	E	N	O	A	R	E	E	I	R	D	N	N
L	H	C	O	M	R	L	E	E	Y	A	A	U	O	M
I	M	C	A	Y	A	W	E	R	M	M	D	M	I	T
N	A	U	T	E	S	R	R	M	E	O	A	N	A	T
A	N	B	I	A	P	E	A	M	R	N	T	F	U	E
V	U	E	E	M	B	U	O	C	N	E	R	S	T	S
B	F	S	A	W	E	H	M	I	O	E	T	A	U	E
K	A	S	A	A	R	R	C	P	T	F	L	A	C	C
S	C	R	D	L	R	P	P	T	K	O	F	I	W	S
H	T	A	S	N	Y	A	U	R	C	I	R	E	C	E
S	U	R	P	U	U	B	I	O	E	O	N	O	E	K
U	R	D	A	T	E	O	H	S	C	P	O	P	G	A
R	E	G	D	U	F	C	M	I	I	P	U	L	A	H
C	R	A	Z	E	Q	E	L	A	S	N	E	S	R	S

Bars, Batch, Butterfat, Caramel, Chocolate, Cinnamon, Coffee, Cone, Craze, Crush, Cubes, Customers, Date, Fruit, Fudge, Homemade, Licorice, Manufacturer, Mint, Mounds, Pack, Peach, Pear, Pumpkin, Quarts, Rage, Raisin, Raspberry, Sale, Scoops, Shakes, Strawberry, Sundaes, Superpremium, Sweet, Vanilla, Vary, Walnut, Watermelon, Yolk.

The Isle of Capri

E	H	M	A	E	C	S	D	S	M	A	L	L	Y	H
L	R	A	Q	N	E	L	E	G	A	N	T	R	I	T
A	U	A	P	U	A	F	I	I	P	I	R	L	I	A
T	M	R	R	P	I	C	U	F	S	E	L	L	A	U
R	B	P	E	A	Y	S	A	N	F	I	E	S	T	G
O	E	I	H	L	G	I	I	P	I	S	A	T	N	U
S	R	E	E	I	T	A	I	S	R	C	I	D	U	S
E	T	V	D	A	T	A	R	C	A	I	U	D	P	T
R	O	E	L	N	Z	H	A	T	A	N	Z	L	E	U
L	A	I	U	Z	O	R	E	L	W	M	A	E	A	S
L	A	O	A	T	E	W	O	A	S	C	P	M	D	R
N	M	R	E	F	A	C	R	S	T	E	A	A	E	A
R	A	L	R	T	C	M	N	E	S	E	V	F	R	B
A	S	E	E	I	N	O	I	L	G	A	R	A	F	I
N	E	R	P	E	V	A	C	I	N	E	C	S	W	E

Amphitheater, Anacapri, Augustus, Bars, Caffe, Campari, Carefree, Casso, Cave, Cliffsides, Daisies, Elegant, Faraglioni, Ferry, Funicular, Happy, Hill, Hotels, Ideal, Italian, Lovely, Lure, Maps, Mountains, Name, Piazza, Piccola, Prized, Punta, Quisisana, Rare, Resort, Sails, Scenic, Small, Tiles, Tragara, Umberto, Water, Warm, Waves.

Roma Downey

T	V	E	C	N	E	S	E	R	P	A	I	N	T	R
O	C	A	R	E	J	W	O	R	L	D	T	S	A	E
U	G	A	L	O	S	A	N	G	E	L	E	S	M	I
C	U	O	H	U	T	L	A	E	H	L	Y	R	A	L
H	A	N	D	R	E	W	N	G	O	T	A	A	R	L
E	R	M	G	Y	L	S	E	R	R	N	W	D	D	Y
L	D	I	O	M	E	S	S	A	G	E	D	I	U	G
I	I	H	R	N	V	L	E	C	S	S	A	A	F	L
Z	A	E	F	I	I	H	E	E	Y	E	O	N	A	E
O	N	C	F	A	S	C	S	S	S	E	R	T	C	A
N	M	T	I	L	I	H	A	S	E	R	B	I	C	D
D	R	O	L	N	O	T	O	U	E	Y	M	M	E	T
O	A	R	M	W	N	V	H	P	S	T	A	L	N	S
C	H	A	R	A	C	T	E	R	E	E	L	H	T	A
S	C	S	F	E	I	L	E	B	L	A	B	O	R	C

Accent, Actress, Andrew, Beliefs, Broadway, Care, Cast, Cause, Character, Charm, Della, Drama, Dye, Elizondo, Emmy, Faith, Fantasy, Film, God, Grace, Guardian, Guide, Hayes, Heal, Heart, Hector, Hope, Irish, John, Labor, Last, Lead, Los Angeles, Love, Message, Monica, Nice, Paint, Presence, Radiant, Reese, Reilly, Roles, Sent, Series, Show, Television, Tess, Touch, Values, Wife, World.

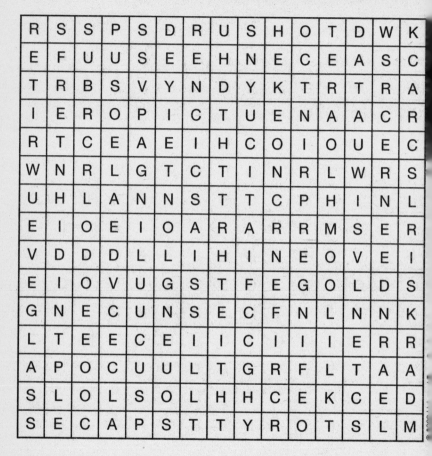

R	S	S	P	S	D	R	U	S	H	O	T	D	W	K
E	F	U	U	S	E	E	H	N	E	C	E	A	S	C
T	R	B	S	V	Y	N	D	Y	K	T	R	T	R	A
I	E	R	O	P	I	C	T	U	E	N	A	A	C	R
R	T	C	E	A	E	I	H	C	O	I	O	U	E	C
W	N	R	L	G	T	C	T	I	N	R	L	W	R	S
U	H	L	A	N	N	S	T	T	C	P	H	I	N	L
E	I	O	E	I	O	A	R	A	R	R	M	S	E	R
V	D	D	D	L	L	I	H	I	N	E	O	V	E	I
E	I	O	V	U	G	S	T	F	E	G	O	L	D	S
G	N	E	C	U	N	S	E	C	F	N	L	N	N	K
L	T	E	E	C	E	I	I	C	I	I	I	E	R	R
A	P	O	C	U	U	L	T	G	R	F	L	T	A	A
S	L	O	L	S	O	L	H	H	C	E	K	C	E	D
S	E	C	A	P	S	T	T	Y	R	O	T	S	L	M

Angle, Cliffhanger, Clues, Code, Crack, Crime, Culprit, Dark, Detect, Find, Fingerprint, Fret, Glass, Identity, Intrigue, Item, Learn, Loom, Night, Novel, Occult, Plot, Police, Psychic, Rebus, Risk, Scene, Search, Secret, Shot, Shrouded, Solve, Spaces, Speculation, Stain, Story, Suspect, Thriller, Trail, Uncover, Unknown, Villain, Warn, Whodunit, Writer.

M	E	R	G	E	G	N	O	I	T	N	E	V	N	I
S	K	C	A	N	S	W	C	P	E	C	N	I	M	R
D	E	L	I	C	A	T	E	H	E	F	U	E	E	O
R	P	C	T	L	U	N	C	H	I	N	A	T	H	T
T	I	U	R	F	S	T	B	L	C	L	N	T	S	A
D	C	H	S	P	I	L	L	E	A	U	L	U	A	T
E	E	K	W	K	A	G	L	C	O	A	E	R	M	E
B	R	A	N	D	G	I	I	C	E	M	R	N	S	Z
R	E	O	E	R	T	R	E	H	K	E	I	I	K	I
E	Y	S	C	A	T	S	E	N	N	A	W	N	C	R
V	A	T	S	C	E	T	I	E	L	T	I	G	I	E
O	L	R	E	S	G	R	T	W	N	F	A	U	U	V
L	E	L	G	F	D	S	O	M	E	S	S	Y	Q	L
V	E	G	E	T	A	B	L	E	S	R	A	N	T	U
E	E	S	U	F	G	S	E	R	V	I	N	G	S	P

Blades, Bowl, Brand, Chew, Chill, Core, Counter, Cuts, Delicate, Dicing, Drink, Eggs, Electrical, Fastener, Fill, Fruit, Fuse, Gadget, Gift, Greens, Health, Invention, Kitchen, Knife, Layer, Lunch, Meal, Meat, Merge, Messy, Mince, Open, Pulverize, Quick, Recipe, Revolve, Rotate, Safety, Serving, Slice, Smash, Snacks, Soak, Spill, Turning, Vegetables, Versatile, Whir, Wire.

GPS Systems

U	N	I	T	E	L	A	T	I	T	U	D	E	M	E
S	A	M	A	R	G	A	I	D	T	I	A	I	C	D
E	U	E	C	E	O	D	O	T	S	S	L	N	R	E
T	T	R	T	H	M	T	R	T	P	E	E	W	S	G
A	I	I	I	P	A	A	A	S	R	R	W	S	R	
N	C	D	C	S	V	N	R	C	E	S	T	O	R	E
I	A	I	A	E	C	O	G	F	I	L	L	I	Z	E
D	L	A	L	E	T	Q	M	E	R	D	O	O	M	S
R	L	N	P	A	U	U	H	S	I	E	N	P	H	E
O	P	O	U	I	C	C	T	E	R	E	G	I	T	X
O	R	Q	C	R	H	K	R	A	D	A	I	I	U	T
C	E	K	I	O	E	S	O	L	C	S	T	D	O	E
C	S	C	O	P	E	A	N	M	I	N	U	S	S	N
T	S	S	E	N	A	L	P	R	I	A	D	L	A	T
E	E	T	O	L	P	A	R	A	L	L	E	L	P	E

Airplanes, Alert, Change, Choose, Circumference, Close, Coordinates, Dark, Degrees, Diagram, Distance, Dots, Dual, East, Equator, Extent, Frame, Grid, Indicator, Latitude, Longitude, Meridian, Miles, Minus, Nautical, North, Parallel, Plot, Plus, Poles, Press, Quick, Region, Scope, Ship, Soldiers, South, Sphere, Stars, Store, Sweep, Tactical, Time, Travel, Unit, West, Zone.

E	P	O	C	S	O	R	O	H	P	E	E	K	S	K
R	E	B	M	U	N	D	A	S	F	E	S	U	I	I
G	C	G	T	X	D	P	E	A	C	I	P	S	H	S
S	N	O	N	S	P	V	T	N	R	E	S	A	S	M
E	Y	I	I	I	E	E	A	M	R	A	H	C	I	E
D	J	R	N	N	L	H	M	S	L	W	N	R	W	T
O	E	E	E	N	C	B	T	A	A	E	A	D	O	T
C	S	S	I	T	I	I	M	R	G	C	E	N	O	S
S	E	A	T	B	T	W	D	A	L	T	P	C	D	M
W	C	T	M	I	E	O	T	E	G	E	S	R	I	W
A	A	L	O	R	N	N	L	I	N	A	A	R	A	D
R	R	N	O	S	A	Y	E	N	M	C	I	G	I	S
T	E	L	G	V	S	K	Y	F	S	I	E	N	O	F
S	L	A	D	E	E	U	F	A	I	R	N	O	S	M
S	Y	A	L	P	L	R	P	A	N	T	N	G	I	S

Advantage, Angel, Benefit, Cards, Chance, Charm, Clover, Codes, Coincidence, Destiny, Dice, Draw, Fair, Fate, First, Gains, Gambling, Game, Happiness, Horoscope, Jinx, Karma, Keep, Kismet, Kiss, Lottery, Mascot, Miracle, Number, Odds, Penny, Play, Race, Random, Real, Risk, Rolls, Seven, Sign, Soon, Straws, Superstition, Timing, Toss-up, Wager, Wand, Winning, Wish, Wood.

Company Takeovers

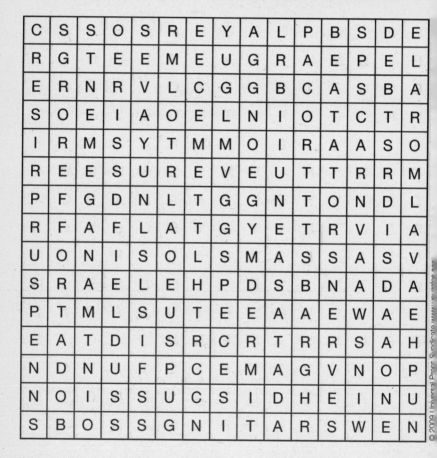

C	S	S	O	S	R	E	Y	A	L	P	B	S	D	E
R	G	T	E	E	M	E	U	G	R	A	E	P	E	L
E	R	N	R	V	L	C	G	G	B	C	A	S	B	A
S	O	E	I	A	O	E	L	N	I	O	T	C	T	R
I	R	M	S	Y	T	M	M	O	I	R	A	A	S	O
R	E	E	S	U	R	E	V	E	U	T	T	R	R	M
P	F	G	D	N	L	T	G	G	N	T	O	N	D	L
R	F	A	F	L	A	T	G	Y	E	T	R	V	I	A
U	O	N	I	S	O	L	S	M	A	S	S	A	S	V
S	R	A	E	L	E	H	P	D	S	B	N	A	D	A
P	T	M	L	S	U	T	E	E	A	A	E	W	A	E
E	A	T	D	I	S	R	C	R	T	R	R	S	A	H
N	D	N	U	F	P	C	E	M	A	G	V	N	O	P
N	O	I	S	S	U	C	S	I	D	H	E	I	N	U
S	B	O	S	S	G	N	I	T	A	R	S	W	E	N

Attempts, Areas, Argue, Beat, Board, Boss, Clout, Data, Debts, Discussion, Effort, Elements, Failure, Field, Fund, Game, Grab, Intrigue, Management, Meet, Morale, Moves, Names, Nerves, News, Pawns, Plans, Players, Predators, Rating, Results, Scar, Shareholders, Side, Snap, Strategy, Struggles, Success, Surprise, Trade, Trying, Upheaval, Voting, Voices, Wins.

S	S	E	A	Y	H	W	L	O	S	T	N	A	L	P
R	T	H	U	B	L	T	A	I	M	S	E	E	R	T
B	G	H	A	L	S	I	E	R	I	I	K	E	C	D
H	R	U	G	D	B	C	L	T	M	T	X	N	I	T
W	T	A	A	I	E	M	I	R	T	I	N	R	I	A
O	O	W	S	N	L	N	A	S	A	R	B	E	U	P
E	R	L	O	S	O	Y	D	L	S	Y	A	L	C	S
E	A	C	L	R	A	T	K	R	H	A	A	Y	S	S
T	L	R	H	E	G	V	H	S	O	Y	M	A	S	F
M	N	P	T	I	Y	B	O	G	E	B	L	T	L	S
U	O	I	R	H	D	M	U	L	I	G	I	O	T	E
S	H	O	T	U	A	S	T	D	A	R	W	U	P	V
W	I	A	L	T	P	T	I	P	S	E	B	Y	M	A
O	P	R	I	B	A	U	R	P	R	E	T	T	Y	E
R	E	C	I	C	M	O	S	S	S	N	E	N	A	L

Abscissa, Bloom, Blue, Brassavola, Bright, Buds, Cattleya, Cymbidium, Dendrobium, Earth, Flowers, Glass, Green, Growth, Guano, Hybrid, Iris, Laelia, Lane, Leaves, Lily, Mix, Moss, Orchids, Path, Pink, Plants, Pretty, Prexial, Purple, Rows, Scent, Shade, Skylights, Somatic, Sophronitis, Taps, Tint, Tips, Trays, Trees, Trim, Tubes, Type, Warm, White, Yellow.

T	N	E	M	E	C	N	U	O	N	N	A	G	R	S
E	E	L	G	G	R	O	O	M	S	L	I	E	V	O
C	E	Y	E	N	O	M	O	S	L	E	S	N	S	C
G	U	D	U	A	A	F	E	C	A	P	A	T	S	I
N	Q	A	C	H	U	R	C	H	O	E	R	L	A	E
U	W	L	O	C	D	E	R	N	G	A	R	E	L	T
O	E	O	U	X	N	S	S	A	N	S	R	M	C	Y
Y	Y	L	R	E	O	I	S	S	G	A	U	A	Y	G
R	T	T	T	C	B	T	A	R	H	N	R	N	A	I
D	U	I	G	I	N	C	M	S	I	T	I	T	S	F
O	D	N	L	E	T	O	A	O	N	T	H	K	R	T
W	I	I	R	I	T	L	N	O	S	E	E	H	O	S
R	T	A	O	S	B	A	C	E	R	E	M	O	N	Y
Y	P	N	U	U	L	O	D	O	N	A	T	I	O	N
I	S	C	M	P	P	D	N	A	B	S	U	H	H	S

Album, Announcement, Arrange, Bond, Ceremony, Church, Class, Contract, Court, Crown, Custom, Destiny, Donation, Dowry, Duty, Exchange, Gather, Gentleman, Gifts, Glee, Goals, Groom, Honor, Husband, King, Lady, Money, Nobility, Pace, Parents, Peasant, Plan, Queen, Reason, Responsibility, Ring, Rite, Seal, Serf, Share, Society, Title, Transactions, Union, Veil, Young.

Quicksand

P	S	F	D	E	I	F	E	U	Q	I	L	L	U	P
V	E	S	S	O	U	P	Y	D	S	C	A	R	E	C
E	O	T	A	T	I	B	A	H	R	Y	N	E	O	I
G	T	L	S	M	D	O	U	R	E	I	D	N	E	N
E	A	R	U	L	M	A	E	R	T	S	F	R	G	A
T	O	H	E	M	S	T	P	H	Y	I	I	T	N	P
A	L	I	L	S	E	S	I	U	N	D	L	E	I	Y
T	F	L	G	I	C	X	E	I	D	O	L	L	S	H
I	S	L	G	L	O	U	N	N	O	D	E	N	S	E
O	K	C	U	T	S	G	E	S	R	S	L	R	O	E
N	S	U	R	G	E	O	E	M	S	E	A	E	R	L
H	P	O	T	E	N	Y	L	W	O	M	D	E	C	G
T	P	O	S	R	A	E	A	I	I	I	V	L	E	G
Y	G	I	L	L	H	M	O	L	D	I	D	L	I	I
M	R	T	C	E	P	O	R	C	R	I	S	I	S	W

Boats, Bury, Clay, Confining, Crisis, Crossing, Deep, Dense, Dire, Drift, Engulf, Field, Float, Gels, Habitat, Hill, Idiom, Landfill, Liquefied, Loose, Marsh, Mass, Mold, Myth, Panic, Piles, Pole, Prey, Puddle, Pull, Rescue, Rise, River, Rope, Scare, Scream, Silt, Solid, Soupy, Step, Stream, Struggle, Stuck, Surge, Swamp, Thixotropy, Trap, Vegetation, Volume, Wiggle, Wilderness, Yield.

Nomad's Lifestyle

P	M	D	I	T	A	C	A	E	C	H	A	N	G	E
U	I	R	R	R	R	N	T	M	O	F	O	O	D	G
O	G	E	A	O	K	A	O	A	R	A	B	I	A	Y
R	R	H	H	L	M	U	N	I	S	I	S	T	O	P
G	A	L	A	I	N	E	C	S	G	L	A	I	L	S
S	T	W	L	T	D	A	D	R	P	E	I	D	S	Y
T	I	C	A	I	R	E	S	A	H	O	R	A	T	R
N	O	I	K	I	H	E	S	L	R	B	R	R	R	O
E	N	S	D	C	T	T	E	E	E	Y	S	T	I	T
R	L	T	O	U	U	T	N	D	R	M	A	C	B	I
E	E	O	O	R	H	L	O	E	O	T	A	V	E	R
F	V	R	E	N	I	U	T	T	M	A	C	S	R
F	A	M	I	L	I	E	S	U	P	E	O	P	L	E
I	R	C	N	N	D	U	N	E	R	E	D	A	R	T
D	T	R	A	C	C	L	O	T	H	E	S	A	N	D

Africa, Arabia, Arid, Bedouin, Camels, Camp, Cart, Change, Climate, Clothes,
Culture, Customs, Desert, Different, Dromedary, Dune, Ethnic, Families, Food, Gobi,
Group, Gypsy, Heat, Herd, Hill, Kalahari, Load, Migration, Mountain, Oasis, Orient,
Pasture, People, Region, Route, Sahara, Sand, Storm, Tent, Territory, Trade,
Tradition, Trails, Transport, Travel, Tribes, Walk.

A Cruise to Antarctica

A	T	S	B	B	I	R	D	S	R	E	T	A	W	P
C	I	A	D	I	C	R	E	A	T	U	R	E	S	I
L	D	U	V	E	N	H	L	A	W	M	I	S	T	H
O	E	K	C	N	C	O	B	I	B	N	S	H	A	S
T	T	S	O	A	P	A	C	E	L	O	G	A	R	B
H	O	O	L	E	L	E	N	U	R	I	A	E	S	S
I	M	R	K	L	B	L	M	T	L	U	K	R	A	G
N	E	A	A	E	I	I	A	I	I	A	T	K	D	N
G	R	S	R	S	N	B	W	F	E	P	R	A	I	I
D	T	G	E	O	L	T	H	R	T	A	O	S	N	R
N	S	O	U	A	O	A	B	T	P	H	S	D	E	P
T	L	S	G	U	O	E	E	I	A	K	G	M	A	S
F	W	A	V	E	C	R	R	S	C	E	M	I	N	L
R	S	S	N	I	U	G	N	E	P	U	H	O	N	O
N	O	Z	I	R	O	H	D	U	S	K	W	S	U	S

Aboard, Albatross, Antipodal, Ballast, Binoculars, Birds, Call, Clothing, Cool, Creatures, Dawn, Decks, Dine, Drake, Dusk, Floes, Garb, Gerlache, Great, Grip, Horizon, Icebergs, Icebreakers, Luminous, Mist, Moon, Nature, Nightfall, Parkas, Penguins, Polar, Remote, Saga, Seals, Sheathbills, Ship, Skuas, Snow, Springs, Stars, Summer, Tide, Twilight, Waters, Wave.

Pancake Making

T	S	E	F	S	S	G	S	Y	S	P	S	N	A	P
W	N	O	S	E	R	P	N	K	T	C	U	P	O	T
O	O	O	V	T	A	E	C	I	O	E	R	R	H	R
D	R	O	I	T	N	A	E	O	P	O	I	I	Y	F
S	T	G	U	T	J	E	K	T	N	P	C	R	U	S
S	R	L	A	P	A	I	I	S	N	K	I	N	A	M
G	A	E	A	N	N	I	P	D	T	U	D	L	I	V
N	H	L	L	G	I	S	C	L	E	R	L	X	F	W
I	F	T	A	D	H	Z	P	O	A	R	U	O	I	D
N	G	R	I	D	D	L	E	I	S	T	G	O	V	E
R	B	T	H	C	D	I	S	R	R	S	E	N	L	E
O	T	A	H	N	K	E	F	L	S	I	A	S	I	F
M	L	E	U	I	R	E	T	L	W	T	T	L	G	F
L	F	O	N	S	N	U	T	E	A	O	I	E	H	O
S	R	E	T	T	A	B	T	S	F	T	B	R	T	C

Aprons, Association, Batter, Bowls, Chefs, Coffee, Cooking, Feed, Fest, Fete, Fiddlers, Flapjacks, Flat, Flipping, Flour, Food, Fundraisers, Garb, Griddle, Hall, Ingredients, Light, Mix, Morning, Organizers, Pans, Plates, Round, Spatula, Spirit, Stir, Stoves, Syrup, Tent, Thick, Thin, Tickets, Turn, Variety, Volunteers.

Some Countries

S	D	M	D	J	A	G	D	N	Y	A	Y	N	E	K
U	A	N	A	N	E	N	O	U	U	A	L	L	R	I
D	T	P	A	R	A	N	I	A	G	A	W	A	T	N
A	A	R	M	L	A	L	I	H	G	A	M	R	I	D
N	I	A	E	B	N	L	I	U	C	N	N	A	O	D
A	N	R	E	O	A	I	T	A	E	F	P	D	N	N
Y	I	L	A	R	C	R	F	D	H	S	E	A	A	A
H	I	S	T	U	O	I	G	R	B	T	L	N	N	L
A	O	S	S	P	G	K	X	E	A	G	T	A	D	E
B	U	L	E	U	I	A	L	E	N	N	H	C	J	C
A	R	R	L	S	R	G	R	E	M	T	C	I	O	I
Y	U	A	R	A	I	A	C	A	R	P	I	E	R	D
B	O	A	Z	U	N	U	N	A	C	I	A	N	D	A
I	E	N	M	I	B	D	E	G	A	I	A	M	A	H
L	L	I	T	A	L	Y	E	M	E	N	N	Z	N	C

Argentina, Australia, Belgium, Brazil, Canada, Chad, China, Cuba, Data, Denmark, Earth, England, Fend, Finland, France, Germany, Holland, Iceland, Iran, Ireland, Israel, Italy, Japan, Jordan, Kenya, Kind, Korea, Lebanon, Libya, Map, Mexico, Nicaragua, Norway, Peru, Portugal, Range, Russia, Spain, Sudan, Thailand, Uganda, Yemen, Zaire.

Big Business

G	S	M	U	S	S	D	N	E	D	I	V	I	D	M
U	N	N	A	S	P	D	L	E	E	R	N	T	N	N
E	I	I	O	R	T	R	N	V	M	V	A	M	O	O
S	R	E	T	I	K	I	E	U	E	R	O	O	B	I
G	E	A	L	E	T	E	F	S	F	N	I	M	B	T
N	S	R	D	P	E	A	T	O	I	M	T	A	I	C
I	U	E	A	D	O	M	R	S	R	D	O	U	H	A
D	L	T	I	H	E	E	E	O	U	P	E	N	R	C
L	T	A	N	N	S	C	P	R	P	P	S	N	E	E
O	S	L	T	I	A	R	I	R	G	R	P	C	T	Y
H	L	S	G	I	O	P	O	S	E	E	O	L	S	S
I	T	H	T	D	P	J	M	K	I	N	R	C	Y	K
O	T	R	U	O	E	A	R	O	O	O	A	S	U	S
N	A	C	O	C	C	O	C	M	C	L	N	I	B	I
R	T	E	T	W	W	K	Y	S	E	L	A	S	S	R

Action, Board, Bond, Buys, Capital, Chairmen, Companies, Corporations, Dare, Decisions, Dividends, Economy, Foresight, Funds, Holdings, Investments, Joint, Markets, Mergers, Meeting, Move, Money, People, Presidents, Product, Profits, Project, Results, Risks, Sales, Scale, Shares, Stock, Sums, Supply, Venture, Workers, Worth.

Politician's Handbook

A	I	D	E	M	C	H	E	E	R	S	H	P	H	S
S	E	S	S	I	K	A	S	S	G	T	L	O	C	A
N	D	S	V	S	A	E	M	N	E	A	A	I	P	N
A	H	A	D	O	I	M	I	P	T	T	T	L	O	E
R	D	R	P	C	T	T	B	F	A	I	A	I	K	E
E	A	N	I	P	E	E	O	I	L	I	T	B	L	S
W	S	L	A	E	O	R	S	O	T	I	G	E	E	P
O	O	E	M	G	M	I	P	P	S	I	C	N	O	D
P	L	R	S	S	A	L	N	O	E	T	O	S	S	S
B	A	A	D	I	O	P	P	T	I	E	E	U	E	T
A	N	E	W	S	M	P	O	O	M	C	C	I	S	A
N	A	M	E	S	O	O	N	R	I	E	T	H	K	K
D	S	E	L	I	M	S	R	F	P	R	N	E	E	E
S	U	P	P	O	R	T	F	P	A	S	S	T	I	S
N	O	I	T	O	M	O	R	P	P	R	A	I	S	E

Ambitious, Appointments, Bands, Campaigns, Cheer, Debates, Elections, Hope, Kisses, Law, Lose, Media, Meetings, Names, News, Office, Opposition, Parties, Platforms, Policies, Politics, Pose, Power, Praise, Promises, Promotion, Propaganda, Sits, Smiles, Speeches, Stakes, Support, Talks, Votes, Wards, Words.

R	I	S	E	G	D	E	L	N	V	E	H	O	O	D
S	O	B	O	D	S	S	M	A	V	E	U	S	N	S
T	E	W	L	T	I	A	E	I	I	T	L	A	E	T
F	N	H	S	O	R	S	T	S	S	R	B	V	O	R
S	A	I	C	K	U	A	N	I	S	T	E	P	E	A
S	R	B	I	T	V	S	D	I	S	E	S	T	R	T
W	L	N	R	O	I	E	E	I	L	S	R	T	A	S
S	G	E	N	I	S	T	A	S	T	B	E	D	E	M
S	E	N	P	N	C	W	S	U	C	I	V	L	D	S
M	I	H	I	A	S	B	A	T	H	R	O	B	E	S
A	H	P	C	P	L	K	T	M	E	H	L	N	T	S
E	T	B	A	T	I	N	I	I	M	T	L	I	A	D
S	O	A	I	R	O	P	U	R	S	E	U	O	I	L
A	L	C	N	R	T	N	A	T	T	S	P	S	L	O
B	C	K	F	N	O	T	T	O	C	S	S	T	I	F

Armholes, Back, Base, Bathrobes, Blouses, Cloth, Cotton, Detail, Dresses, Edges, Fabric, Fits, Folds, Front, Gowns, Hems, Hood, Innovative, Inside, Lapels, Markings, Material, Notches, Outside, Part, Pins, Piping, Pullovers, Purse, Ribs, Rows, Seams, Sets, Skirts, Sleeves, Starts, Stitches, Suits, Tops, Traditional, Trim, Velvet, Waistband, Wrists.

D	N	U	O	B	E	R	A	W	A	R	D	S	A	B
F	A	N	S	H	O	O	T	W	E	R	O	C	S	A
C	P	E	R	S	O	N	A	L	I	T	Y	T	K	S
H	T	N	T	A	E	O	H	B	O	N	B	T	I	E
I	N	O	R	N	L	H	B	L	C	A	N	N	L	B
C	I	I	O	E	E	L	Y	O	S	E	T	E	L	A
A	O	P	P	R	E	M	A	K	E	E	Y	L	R	L
G	P	M	S	A	P	C	E	G	R	E	A	A	D	L
O	U	A	S	I	H	T	O	V	I	D	M	T	L	W
J	R	H	C	S	L	A	I	C	E	P	S	A	O	P
T	O	C	L	R	L	E	B	M	S	I	T	R	G	T
T	M	L	I	T	W	E	N	T	Y	T	H	R	E	E
S	U	C	C	E	S	S	A	P	I	T	E	C	C	A
B	H	H	I	T	S	R	E	E	R	A	C	E	A	M
O	V	A	T	I	O	N	C	I	T	C	A	T	M	S

Achievement, Arena, Awards, Baseball, Basket, Best, Bulls, Career, Champion, Chicago, Coach, Dribble, Fans, Game, Goal, Gold, Hits, Honor, Humor, Interview, Jump, Medal, Meet, Olympic, Opponent, Ovation, Pass, Personality, Play, Point, Rebound, Rich, Score, Series, Shoot, Shot, Skill, Special, Sport, Success, Tactic, Talent, Tall, Teams, Throw, Twenty-three, Winner.

Spice Up Your Life

H	W	O	R	G	F	C	F	A	E	L	Y	A	B	C
S	S	D	E	E	S	H	M	H	E	R	B	T	O	E
S	M	I	N	T	P	O	E	O	A	N	N	R	E	M
O	E	N	N	O	L	P	C	M	N	A	I	E	D	Y
T	E	I	P	R	I	L	E	I	L	A	R	M	C	H
L	H	P	E	C	A	S	I	P	N	T	G	A	U	T
A	Y	M	G	B	O	G	P	D	N	N	Y	E	A	C
S	Y	C	A	R	A	G	E	E	S	E	A	R	R	C
T	A	S	S	R	E	R	I	M	N	A	R	M	L	O
I	I	K	L	S	J	D	E	N	T	A	U	O	O	T
L	I	I	I	A	E	O	E	C	G	U	V	C	O	N
I	C	N	R	R	U	N	R	O	I	E	N	O	E	E
H	A	O	G	A	P	R	N	A	A	P	R	I	L	C
C	M	N	S	E	V	A	E	L	M	M	E	A	T	I
A	I	L	H	C	N	I	P	L	A	R	U	T	A	N

Anise, April, Aroma, Basil, Bay leaf, Cayenne, Chili, Chop, Cinnamon, Clove, Coriander, Cumin, Dill, Fennel, Garlic, Garnish, Ginger, Grow, Herb, Hint, Ingredient, Last, Laurel, Leaves, Marjoram, Meat, Mint, Natural, Nice, Nutmeg, Oregano, Paprika, Piece, Pinch, Plant, Poppy, Racy, Recipe, Root, Rosemary, Sage, Sauce, Seeds, Tarragon, Thyme, Toss, Tree.

H	N	Y	R	A	R	B	I	L	E	D	M	S	P	D
A	Y	E	E	E	U	E	G	T	O	A	U	A	E	A
R	E	T	P	A	H	C	H	N	R	O	N	E	T	S
D	C	A	U	O	S	G	T	C	I	R	H	A	S	H
H	P	I	U	D	I	Y	N	D	A	N	D	C	O	E
K	O	S	N	L	Y	N	E	E	E	E	E	U	S	E
S	E	M	H	F	I	T	L	Z	Y	S	T	V	G	T
A	R	G	E	A	O	C	I	E	Y	L	K	E	E	S
T	I	E	R	W	L	R	S	S	I	L	L	O	X	A
H	T	T	B	A	O	R	M	N	R	L	A	T	O	T
G	S	H	S	M	D	R	E	A	O	E	U	N	D	B
U	E	S	E	E	U	E	K	C	T	T	V	A	A	E
O	T	M	F	L	X	N	S	A	O	I	E	I	T	S
H	I	E	E	A	P	E	L	R	D	R	O	S	N	T
T	R	R	M	D	N	A	T	S	R	E	D	N	U	U

Analyze, Best, Book, Chapter, Class, College, Cram, Data, Defer, Desk, Duty, Easy, Evening, Exam, Eyes, Grades, Hard, Heed, Help, Highlight, Homework, House, Information, Late, Learn, Library, Math, Notes, Numbers, Open, Outline, Paper, Read, Record, Ruler, School, Sheets, Silent, Step, Strain, Task, Teacher, Tedious, Test, Text, Thought, Time, Tutor, Understand, University.

Michael J. Fox

D	F	Y	C	A	R	T	F	T	H	G	I	L	Y	N
R	E	S	T	A	R	I	Y	S	C	N	O	T	E	E
A	T	P	I	R	C	S	E	L	R	I	E	E	N	R
I	U	I	U	T	A	I	L	R	A	L	P	C	S	D
S	N	N	I	T	R	M	O	E	E	I	O	N	I	L
E	R	O	N	E	Y	M	R	V	S	M	C	R	D	I
I	N	A	S	T	A	U	I	O	E	S	E	E	F	H
T	F	E	L	N	T	S	D	D	R	C	D	I	P	C
Y	W	S	T	U	I	E	Y	A	T	A	L	E	S	S
L	A	I	F	O	P	K	R	O	W	M	Y	T	I	C
I	C	W	N	M	E	O	R	S	C	A	S	T	N	R
M	Y	T	D	A	S	J	P	A	H	Y	C	I	G	E
A	O	A	T	R	N	S	U	P	P	O	R	T	V	E
F	N	O	L	A	A	S	R	A	M	R	W	O	O	N
D	N	U	F	P	F	H	S	S	E	N	L	L	I	R

Actor, Cast, Children, City, Comedy, Deputy, Director, Disney, Episode, Family Ties, Fans, Fantasy, Fiction, Film, Fund, Future, Hard way, Illness, Jokes, Keaton, Light, Love, Mars, Marty, Mayor, Paramount, Parkinson, Play, Popular, Raise, Research, Role, Romantic, Screen, Script, Series, Show, Sing, Smiling, Special, Spin, Star, Support, Tales, Television, Tracy, Twin, Wise, Work.

N	G	I	S	E	D	G	B	O	A	R	D	O	O	W
O	E	W	C	O	A	S	L	A	I	R	E	T	A	M
I	A	T	O	Z	B	E	P	B	R	E	A	T	A	E
S	T	R	E	T	A	A	R	U	X	B	E	K	D	A
N	R	B	S	R	I	I	L	T	P	R	E	R	E	S
E	O	O	N	N	C	U	E	C	P	A	A	C	U	U
M	P	S	T	K	M	N	G	R	O	H	T	M	U	R
I	P	T	R	B	S	N	O	O	P	N	M	I	P	E
D	U	I	E	I	I	O	F	C	A	E	Y	M	O	N
D	S	R	O	T	F	L	O	O	R	S	N	I	A	R
E	H	N	O	I	T	C	U	R	T	S	N	O	C	E
T	P	O	S	A	D	R	R	A	S	S	L	O	O	T
A	F	E	B	I	R	O	I	R	E	T	X	E	O	T
I	A	L	E	B	A	N	B	M	U	L	P	Z	L	A
L	E	V	E	L	Y	E	M	R	O	F	T	A	L	P

Balcony, Barbecue, Board, Brick, Concrete, Construction, Cool, Design, Detail, Dimension, Door, Extension, Exterior, Floor, Footing, Four, Gazebo, Hard, Hobby, Learn, Level, Lumber, Make, Materials, Measure, Paint, Parts, Patio, Pattern, Peel, Platform, Plumb, Post, Rain, Rake, Ramp, Rise, Saws, Seal, Stain, Summer, Support, Table, Tools, Trim, Waterproof, Wood, Yard.

Off to Jamaica

H	F	T	O	U	R	N	M	R	E	V	I	R	T	C
C	L	U	B	E	I	A	B	R	E	S	K	R	A	P
A	O	N	W	B	N	I	L	G	A	S	N	T	O	A
E	G	O	A	G	R	H	E	A	T	W	W	E	B	P
B	L	C	R	D	Y	T	M	A	C	P	K	I	D	A
F	R	O	S	N	A	E	C	O	C	I	S	U	M	Y
Y	V	C	N	T	C	R	A	W	N	R	P	Q	I	A
E	R	U	I	N	A	S	E	G	A	T	T	O	C	R
L	S	O	A	F	T	I	S	B	E	L	E	E	R	E
R	N	D	T	B	Y	T	R	A	S	S	K	G	B	T
A	E	G	N	I	O	E	G	O	R	A	L	A	O	A
M	L	S	U	N	R	G	L	W	T	G	L	L	S	W
E	O	H	O	I	E	R	N	L	E	C	M	L	A	P
R	O	O	M	R	D	A	E	A	A	I	I	I	I	F
N	P	P	H	O	T	E	L	T	M	V	V	V	L	V

Bars, Beach, Birds, Boat, Cabin, Club, Coast, Coconut, Cottage, Craft, Dance, Dense, Falls, Flower, Golf, Grass, Guide, Heat, Hotel, Kingston, Mango, Mangrove, Marley, Montego, Mountains, Music, Palm, Papaya, Parks, Pool, Quiet, Reggae, Resort, River, Room, Sail, Shop, Sunny, Swim, Territory, Tour, Trip, Tropical, Valley, Vegetation, Victoria, View, Village, Villas, Walk, Warm, Water.

A	C	C	O	M	P	A	N	I	M	E	N	T	P	L
T	S	T	R	A	N	L	R	A	P	M	U	R	D	Y
A	L	A	V	R	E	T	N	I	W	A	A	R	G	R
N	S	S	E	C	C	O	P	R	E	H	R	E	T	E
O	W	D	F	H	H	G	R	A	S	T	L	T	C	L
S	O	N	E	E	A	O	O	C	T	E	T	O	M	C
M	B	E	L	B	M	E	S	N	E	C	N	A	D	I
A	M	N	C	A	B	O	L	D	R	A	D	A	P	T
E	S	O	N	L	E	S	T	T	N	E	M	G	E	S
V	T	T	V	L	R	C	P	I	T	C	H	S	I	U
O	I	I	S	E	B	A	I	S	O	L	O	R	C	O
C	H	R	R	T	M	E	T	R	O	N	O	M	E	C
A	C	A	U	W	O	E	A	S	Y	C	A	I	L	A
L	A	B	M	Y	C	P	N	T	K	L	A	L	L	S
L	A	N	O	T	E	R	U	T	L	U	C	D	O	E

Accompaniment, Acoustic, Adapt, Alto, Aria, Arietta, Arts, Bagpipe, Ballet, Baritone, Beat, Bold, Bows, Case, Cello, Chamber, Clef, Culture, Cymbal, Dance, Drum, Elegy, Emotional, Ends, Ensemble, Hits, Interval, Lyre, Lyric, March, Metronome, Mild, Modern, Motet, Movement, Note, Octet, Part, Pitch, Rock, Romantic, Segment, Sharp, Solo, Sonata, Star, Stop, True, Tuba, Vocal, Western, Write.

S	W	E	I	V	E	S	S	E	L	S	T	S	C	N
M	L	M	L	C	T	S	E	E	A	L	E	D	O	M
O	T	E	K	A	L	F	D	H	Z	U	S	I	R	L
T	I	M	E	O	C	E	O	I	S	I	T	S	N	I
P	R	B	C	P	O	R	A	S	L	A	S	I	E	F
M	E	R	O	T	B	L	I	R	M	E	L	N	A	O
Y	D	A	N	I	U	T	S	M	O	K	Y	F	W	C
S	G	N	T	C	A	R	A	T	A	C	Q	E	O	U
I	L	E	A	R	E	L	C	S	R	L	B	C	R	S
T	A	M	C	L	F	R	A	M	E	B	U	T	B	S
I	S	N	T	N	G	L	E	N	S	L	R	D	I	L
E	S	D	I	L	A	T	E	D	A	I	N	R	U	I
V	E	H	C	T	I	H	C	R	L	N	I	O	E	P
U	S	U	L	C	E	R	N	U	A	K	N	P	O	U
U	P	A	I	N	E	R	V	E	D	C	G	S	S	P

Blink, Brow, Burning, Care, Cataract, Clear, Contact, Cornea, Dilated, Disinfect, Drops, Duct, Enhance, Eyelids, Film, Focus, Frame, Gland, Glasses, Inflammation, Iris, Itch, Lacrimal, Laser, Lashes, Lens, Look, Macula, Membrane, Model, Nerve, Ocular, Optic, Orbit, Pain, Pupils, Retina, Sclera, Size, Sleep, Smoky, Soft, Symptoms, Tests, Tired, Tissues, Ulcer, Uveitis, Vessels, View.

Nautical Terms

T	O	O	L	S	C	P	E	E	D	S	H	I	P	Y
F	R	H	E	H	T	N	S	R	H	E	L	M	F	E
O	Y	A	A	M	A	R	I	N	E	L	B	R	I	L
L	T	R	N	V	I	F	U	E	R	U	C	E	S	L
A	T	B	Y	S	T	T	R	C	N	R	U	T	H	A
L	E	O	E	H	M	T	C	N	T	D	R	A	U	G
E	J	R	C	A	N	I	B	A	C	U	T	W	K	N
E	D	A	A	E	M	R	S	T	E	C	R	C	Y	I
K	Y	I	R	E	I	S	N	S	H	D	O	E	A	L
A	C	R	T	D	R	C	R	I	I	L	P	D	W	D
N	U	O	G	U	T	U	E	D	I	O	S	O	E	N
C	O	E	D	R	O	P	T	A	C	H	N	R	E	A
H	R	D	N	C	A	P	S	S	Q	U	A	L	L	H
O	E	E	I	C	F	E	R	R	Y	L	R	O	P	E
R	A	T	W	C	A	R	G	O	F	S	T	S	E	T

Alee, Aloft, Anchor, Beam, Bridge, Cabin, Cape, Cargo, Chart, Course, Crew, Cruise, Current, Deep, Distance, Dock, Drift, Ferry, Fish, Flare, Galley, Gear, Guard, Handling, Harbor, Hatch, Helm, Hold, Jetty, Leeway, Lock, Marine, Navy, Rear, Rode, Rope, Rudder, Rules, Sail, Scope, Scupper, Secure, Ship, Squall, Stern, Structure, Tests, Tide, Time, Tools, Transmission, Transport, Trim, Turn, Water, Wind, Yacht.

Video Cameras

K	T	O	H	S	N	O	I	S	I	V	E	L	E	T
S	E	I	R	E	T	T	A	B	D	L	I	G	H	T
I	I	Y	E	A	G	O	R	E	R	G	R	R	H	L
I	T	T	S	N	S	E	P	S	R	A	E	I	E	L
D	M	M	E	N	X	E	U	A	H	C	N	N	A	A
B	L	O	T	I	L	G	I	C	O	C	S	D	E	N
I	I	O	M	V	G	N	G	R	T	N	T	R	P	O
R	F	Z	H	E	Y	E	D	N	O	I	U	A	O	S
T	D	Y	S	R	N	T	R	T	I	T	M	D	W	R
H	R	T	B	S	C	T	T	A	R	N	S	E	E	E
D	A	F	E	A	T	U	R	E	S	E	N	D	R	P
A	W	E	P	R	B	U	P	A	R	E	M	A	C	I
Y	R	M	S	Y	H	A	N	D	L	E	L	O	C	K
C	O	M	P	O	N	E	N	T	S	T	I	L	T	S
C	F	T	R	I	P	O	D	I	S	T	A	N	C	E

Anniversary, Aperture, Baby, Batteries, Birthday, Brand, Buttons, Camera, Case, Charge, Compact, Components, Distance, Erase, Features, Film, Forward, Grainy, Handle, Hold, Keys, Lens, Light, Loaded, Lock, Mixer, Moment, Personal, Pose, Power, Record, Remote, Reset, Scanning, Shot, Site, Skip, Stilts, Stop, Stories, Stunts, Suggest, Television, Thin, Timer, Tripod, Watch, Zoom.

S	S	L	L	E	Y	T	S	D	W	O	R	C	F	P
E	S	I	L	E	N	T	N	L	R	O	R	F	G	E
T	V	E	K	A	L	R	O	E	R	E	O	T	C	K
E	R	C	R	A	L	A	I	I	W	Y	N	A	Y	R
L	O	E	N	D	A	C	N	F	A	E	R	R	R	O
H	L	E	K	C	B	K	I	L	D	U	O	S	R	W
T	R	A	A	A	T	O	P	N	E	T	E	S	A	T
A	L	L	B	C	E	M	O	T	S	N	A	T	D	E
K	L	L	L	E	K	P	A	T	O	W	N	A	I	N
S	A	U	C	Y	S	M	S	H	H	O	R	D	O	E
B	B	E	D	E	A	A	P	E	I	E	D	I	T	W
S	T	I	R	N	B	D	B	T	A	N	S	U	T	S
X	O	R	T	B	A	G	A	M	E	S	T	M	M	E
C	O	M	M	E	N	T	A	T	E	V	O	I	C	E
C	F	B	H	O	S	T	S	S	O	P	E	N	E	R

Amateur, Arena, Athletes, Baseball, Basketball, Bites, Blab, Booth, Box, Break, Calls, Clubs, Commentate, Correspondent, Crew, Crowds, Dress, Edit, Field, Football, Games, Headphones, Hint, Hockey, Hosts, Live, Mots, Network, News, Opener, Opinion, Playoff, Race, Radio, Rant, Rink, Saucy, Season, Session, Silent, Speaker, Stadium, Stand, Station, Story, Track, Voice, Write, Yells.

Stars of the Universe

M	A	S	S	E	I	K	S	Y	E	E	C	A	P	S
N	M	E	T	S	Y	S	S	T	D	Z	S	L	C	T
P	O	S	H	S	C	H	A	I	N	T	A	E	H	S
H	S	I	W	E	O	E	P	C	R	N	L	G	H	I
T	N	E	T	O	P	P	L	O	O	E	I	Y	G	D
E	I	A	T	A	E	O	N	E	S	R	T	G	I	E
V	I	I	B	R	L	O	C	T	B	I	O	S	H	M
L	N	A	A	R	M	L	I	S	S	R	T	N	A	T
G	L	E	E	Y	I	A	E	O	E	A	I	G	A	K
L	L	A	D	P	L	L	N	T	N	L	N	T	C	S
C	C	U	S	I	K	I	L	C	S	I	E	O	Y	E
T	T	E	G	N	M	C	E	I	T	N	R	T	V	S
S	Y	H	I	U	U	A	A	U	A	B	O	A	N	A
E	T	W	L	A	N	D	D	R	I	N	S	C	Y	G
S	T	R	U	C	K	E	S	T	T	T	O	P	S	

Amid, Astronomy, Ball, Bright, Brilliant, Celebrity, Celestial, Chain, City, Clear, Constellation, Corona, Dipper, Distance, Eclipse, Eyes, Gases, Gaze, High, Land, Leads, Light, Luminosity, Magnitude, Mass, Night, Orbit, Plan, Posh, Potent, Rays, React, Rock, Shine, Shooting, Side, Skies, Space, Spot, Struck, Study, System, Tail, Telescope, Track, Twinkle, Vast, View, Wish.

Family Portrait

A	N	F	C	E	S	S	T	U	D	I	O	Y	P	C
T	B	T	R	E	H	P	A	R	G	O	T	O	H	P
E	O	O	R	A	M	U	B	L	A	S	S	E	Y	C
D	O	O	S	H	M	S	S	U	E	E	H	B	L
I	K	E	H	T	S	E	E	D	P	S	H	O	A	A
W	E	I	T	S	N	I	S	I	E	O	E	M	B	N
E	A	C	D	A	K	E	N	W	R	T	R	E	D	D
D	N	L	A	S	N	D	R	I	H	O	I	P	E	E
I	A	O	L	R	E	I	Y	A	F	I	T	N	R	T
S	N	T	I	T	G	S	M	M	P	A	T	S	U	A
T	N	H	N	T	S	N	A	A	B	D	A	E	S	E
U	Y	I	A	O	A	K	I	L	L	H	N	R	A	S
O	A	N	L	L	E	C	E	T	A	D	R	A	E	B
P	S	G	P	U	E	S	O	L	C	A	M	E	R	A
Y	A	L	P	S	I	D	L	L	K	A	F	D	T	G

Acting, Album, Attire, Baby, Beard, Black, Book, Camera, Cheese, Clan, Close-up, Clothing, Dear, Display, Dusty, Fees, Finish, Frames, Glossy, Grace, Grandparents, Hall, Heart, Home, Inhale, Kids, Laminate, Location, Makeup, Nanny, Outside, Painted, Photographer, Pose, Props, Seated, Shoot, Skies, Stories, Studio, Tables, Tans, Treasured, United, Wall, White, Wide.

Planning a Sleigh Ride

M	T	R	O	S	E	R	D	T	E	K	N	A	L	B
D	A	T	E	S	C	A	G	S	W	O	N	S	T	E
A	Y	E	N	I	W	M	R	N	R	T	L	T	A	L
M	R	A	R	N	B	O	R	I	I	A	S	S	O	L
T	E	M	H	D	H	U	A	S	M	N	E	O	C	S
F	N	A	A	G	L	N	D	I	E	G	E	H	R	G
O	E	N	D	E	U	T	N	D	D	L	I	V	E	F
R	C	R	V	O	E	A	A	O	Y	L	C	P	E	L
E	S	A	U	R	W	I	L	E	D	H	S	I	H	A
S	R	R	R	T	A	N	R	R	R	I	A	N	C	C
T	D	A	E	E	A	R	E	S	R	T	E	P	H	I
S	I	I	V	T	O	N	D	C	A	D	R	I	P	P
N	T	I	K	U	N	A	N	N	O	N	L	A	E	Y
S	R	A	T	S	O	I	O	O	U	L	T	E	C	T
D	E	E	H	R	E	D	W	O	P	T	D	A	R	K

Animals, Bells, Blanket, Buddy, Cheer, Children, Chill, Coat, Crisp, Dance, Dark, Dates, Dawn, Deep, Dream, Drive, Evening, Forest, Frost, Happy, Hats, Horse, Host, Icicles, Laugh, Lodge, Meadow, Mountain, Nature, Powder, Resort, Roads, Route, Santa, Scenery, Skids, Snow, Stars, Team, Terrain, Track, Travel, Treat, Trees, Tundra, Typical, Wine, Winter, Wonderland, Wooden.

H	H	G	N	I	T	S	E	D	I	H	T	W	A	H
A	B	O	D	Y	L	I	O	L	S	S	E	C	C	A
Y	U	S	L	I	A	C	L	I	E	A	E	T	U	E
T	T	N	T	E	T	K	L	A	V	W	I	R	P	D
A	T	S	U	O	I	O	O	I	C	T	E	I	U	K
C	O	K	R	R	P	T	N	O	S	I	D	R	N	C
D	N	R	U	B	S	G	H	Y	N	E	G	E	C	I
H	O	S	E	I	O	E	R	I	M	I	T	R	T	R
N	A	S	T	G	H	I	N	I	M	S	A	H	U	P
R	P	N	A	E	N	J	C	S	A	B	R	P	R	S
A	E	I	D	G	E	I	A	F	U	E	L	E	E	U
D	L	C	E	C	E	L	F	B	A	L	P	E	P	T
R	E	K	T	R	A	Y	S	D	S	A	Y	I	I	U
U	E	L	I	T	C	A	T	L	I	U	Q	T	N	R
G	F	R	E	E	Z	E	C	R	A	F	T	S	S	E

Access, Acupuncture, Body, Burn, Button, Crafts, Crewel, Cures, Darn, Dentist, Doctor, Dosage, Drug, Duct, Epidemic, Fasten, Feel, Finger, Freeze, Hand, Hide, Hole, Hospital, Inject, Jabs, Nick, Nook, Nurse, Pain, Pierce, Pine, Pins, Polish, Prick, Quilt, Repair, Sick, Slits, Steel, Sting, Stitch, Stylus, Surgical, Suture, Syringe, Tactile, Thimble, Thread, Trays, Weaving.

R	K	L	A	W	D	G	B	S	T	I	B	A	H	S
B	E	H	A	V	I	O	R	R	E	O	E	T	L	E
L	L	P	T	C	D	W	O	O	D	I	G	L	I	T
C	A	R	R	Y	I	P	W	F	U	N	C	R	O	I
R	M	A	E	O	S	P	N	M	E	N	A	E	S	H
E	C	D	E	N	D	S	O	L	T	B	D	M	P	W
K	S	S	A	R	G	U	T	R	D	O	A	M	E	S
R	C	R	S	N	T	T	C	O	T	L	P	U	E	T
O	T	A	U	H	N	S	M	T	L	S	T	S	D	R
W	A	L	L	A	I	E	L	C	I	D	E	P	I	O
F	A	E	L	B	N	P	T	D	I	O	Y	R	H	N
Y	G	P	E	Q	U	E	E	N	S	A	N	D	O	G
S	E	L	C	Y	C	N	E	C	A	S	T	E	A	F
U	E	J	O	B	S	E	R	V	A	T	I	O	N	L
B	S	G	G	E	W	I	N	G	S	P	A	R	T	R

Abdomen, Adapt, Antenna, Behavior, Black, Body, Brown, Busy, Carry, Caste, Crack, Cycle, Dense, Dine, Eggs, Food, Forest, Grass, Ground, Habits, Hide, Hole, Jobs, Lady, Leaf, Legs, Length, Lots, Male, Mouth, Observation, Ocellus, Pedicle, Pest, Plant, Queen, Reproduction, Sand, Small, Soil, Species, Speed, Spot, Strong, Summer, Transport, Traps, Tree, Tropical, Walk, Wall, White, Wings, Wood, Worker.

S	I	E	R	F	N	T	B	X	N	S	L	L	A	C
M	N	X	B	O	A	E	P	S	O	O	A	O	R	H
R	R	I	I	R	W	T	I	M	R	B	T	E	O	O
A	E	T	E	A	A	C	A	V	E	E	H	I	M	K
L	C	S	R	A	W	V	A	L	O	T	D	E	C	E
A	N	E	P	A	O	D	E	U	A	M	N	R	N	E
N	O	I	S	I	V	E	L	E	T	O	R	I	O	L
Y	C	P	D	N	T	E	W	A	I	I	L	O	I	R
T	O	E	O	R	L	H	L	T	C	E	O	G	T	E
E	D	D	A	I	S	A	C	E	C	I	H	N	I	S
F	A	I	A	U	S	I	U	I	C	T	D	E	N	P
A	N	H	F	N	D	O	L	S	S	I	S	E	O	O
S	G	F	I	E	R	O	N	T	U	A	V	T	M	N
H	E	A	R	E	P	O	R	T	E	N	S	D	D	D
R	R	P	E	E	R	U	T	C	A	F	U	N	A	M

Action, Admonition, Advice, Alarm, Avoid, Beware, Box, Brave, Calls, Caution, Cease, Choke, Concern, Danger, Exit, Fatal, Fire, Hear, Heed, Hide, Label, Lights, Line, Look, Manufacture, Medical, Movie, Notice, Omen, Orders, Poison, Police, Prediction, Report, Respond, Safety, Silt, Stop, Storm, Suffer, Television, Tempt, Tips, Tornado, Trains, Travel, Unusual, Wars, Weather.

Cookie Crazy

S	I	F	E	R	U	T	X	E	T	B	T	I	N	T
B	N	N	I	S	E	E	A	E	S	L	I	S	O	A
R	A	I	G	L	T	L	T	K	G	W	A	T	M	S
C	O	K	S	R	L	R	P	A	R	N	E	M	E	T
E	M	U	E	I	E	I	A	A	D	A	A	E	L	Y
R	T	A	N	R	A	D	N	W	M	H	D	R	T	O
N	A	A	R	D	Y	R	I	G	B	A	S	E	O	B
S	V	S	L	S	F	C	R	E	M	E	I	E	O	U
R	E	G	P	O	H	E	I	E	N	R	R	X	R	Y
O	R	I	P	B	C	M	M	N	A	T	E	R	A	F
V	A	F	R	I	E	O	A	V	N	S	S	W	Y	U
A	U	D	P	R	H	R	H	L	K	A	A	E	N	D
L	Q	E	O	C	E	C	R	C	L	R	M	U	I	G
F	S	T	I	O	I	H	A	Y	A	O	T	O	T	E
L	A	Y	E	R	G	P	C	C	O	S	W	N	N	S

Bakery, Bite, Boxes, Buy, Caraway, Cherries, Chip, Chocolate, Cinnamon, Dark, Date, Figs, Filling, Flavors, Fresh, Fudge, Good, Homemade, Ingredients, Layer, Lemon, Malt, Maple, Marshmallow, Nuts, Orange, Packs, Raisins, Raspberry, Recipes, Rich, Round, Sandwich, Square, Strawberry, Sweet, Tasty, Texture, Tint, Tiny, Vanilla, Variety.

P	M	A	L	C	R	K	T	E	L	D	N	I	P	S
C	N	S	S	E	L	N	I	A	T	S	O	U	E	P
Y	E	S	D	I	L	O	N	T	H	A	N	O	R	L
B	P	L	Q	L	M	I	S	A	C	C	T	E	F	A
L	O	U	D	E	R	P	R	E	T	H	S	O	O	S
H	I	N	L	N	S	P	L	U	T	E	E	S	R	T
D	C	G	K	P	E	T	R	E	R	R	W	N	A	I
F	N	L	I	N	R	E	U	V	E	I	K	H	T	C
A	N	V	E	E	E	L	E	C	T	R	I	C	E	L
S	O	R	W	A	S	S	H	C	D	S	E	U	O	E
T	P	A	U	K	N	A	H	R	D	E	S	O	S	L
W	R	A	O	T	R	O	O	N	F	E	T	T	P	T
D	I	O	D	G	M	C	A	F	A	D	E	L	U	T
S	C	R	E	E	C	H	O	L	E	E	W	P	O	O
R	K	D	E	V	I	C	E	B	L	A	D	E	S	B

Angle, Blades, Bolted, Bottle, Clamp, Clean, Closet, Coffee, Cooks, Cord, Cuts, Device, Drawer, Electric, Fast, Food, Hands, Holder, Home, Kitchen, Knob, Lids, Liquid, Lock, Louder, Open, Perforate, Pivot, Plastic, Preserves, Prick, Puncture, Recharge, Rotate, Screech, Seal, Sharpener, Simple, Soups, Spade, Speed, Spindle, Stainless, Steel, Stew, Switch, Tins, Tool, Touch, Turn, Wire.

Birds and Furry Animals

C	E	H	P	A	W	S	N	O	O	C	C	A	R	C
I	L	S	P	U	T	R	C	S	G	O	D	A	U	X
M	K	S	O	A	R	R	I	O	U	N	N	T	T	O
L	S	E	I	O	E	R	H	A	U	C	E	I	D	F
Y	A	L	N	I	M	E	E	S	H	G	B	G	E	K
B	S	M	R	A	G	S	A	V	T	B	A	E	E	K
B	E	R	B	D	T	L	D	N	A	U	D	R	R	H
A	E	A	E	A	L	U	O	R	F	E	F	A	B	O
T	S	H	R	I	C	I	R	R	A	O	B	F	R	U
T	O	H	R	K	N	A	C	E	R	L	R	L	E	N
O	O	O	E	A	O	U	T	H	M	L	L	E	T	D
Y	G	O	P	E	D	A	D	S	I	A	E	A	S	E
S	N	M	C	D	P	R	L	A	M	M	A	M	M	T
N	O	O	L	L	E	O	P	A	R	D	P	A	A	S
C	M	Y	P	H	A	L	L	I	H	C	N	I	H	C

Bark, Bear, Beaver, Boar, Breed, Camel, Cats, Chimp, Chinchilla, Companion, Coot, Cougar, Cuddly, Cute, Dogs, Duck, Elks, Farm, Feed, Forest, Fox, Gorilla, Hair, Hamster, Harmless, Hedgehog, Herd, Hound, Koala, Lamb, Leopard, Llama, Loon, Mammal, Mongoose, Moose, Name, Nature, Paws, Pony, Purr, Rabbit, Raccoon, Ranch, Rats, Sheep, Small, Stuffed, Tabby, Tails, Terrier, Tiger, Toys.

An Aromatic Theme

T	N	E	C	S	E	C	C	E	S	S	E	N	C	E
S	A	O	O	P	M	A	H	S	N	G	B	Y	I	F
T	E	E	W	S	Y	M	I	O	N	O	P	R	L	I
R	E	I	M	N	H	P	P	A	C	R	I	O	E	N
E	N	U	P	U	T	H	R	I	E	O	W	T	M	H
E	C	E	Q	K	F	O	T	S	E	E	L	C	O	A
S	C	C	U	S	R	S	W	R	M	F	A	N	L
S	O	A	P	N	O	U	E	S	O	R	I	F	T	E
N	S	N	L	N	A	B	M	P	S	O	F	L	O	E
E	M	D	E	M	S	R	A	Y	L	L	D	O	M	C
D	E	L	E	L	I	P	G	L	R	A	I	I	O	E
R	L	E	I	L	E	N	I	A	M	T	N	O	N	D
A	L	L	I	N	A	V	G	C	R	T	L	T	S	A
G	A	L	I	C	A	N	D	Y	E	F	E	E	S	R
C	Y	P	E	A	C	H	E	E	S	E	N	S	E	S

Balm, Bouquet, Calming, Camphor, Candle, Candy, Cedar, Cheese, Chip, Chocolate, Citronella, Coffee, Cypress, Essence, Flowers, Food, Fragrance, Gardens, Herbs, Inhale, Lemon, Lilac, Lily, Lime, Lotion, Meat, Mint, Musk, Myrtle, Oils, Olfactory, Orange, Peach, Perfume, Pies, Pine, Plants, Rose, Scent, Senses, Shampoo, Smell, Soap, Spice, Sweet, Thyme, Trees, Vanilla, Wine, Wood.

Another Monday Morning

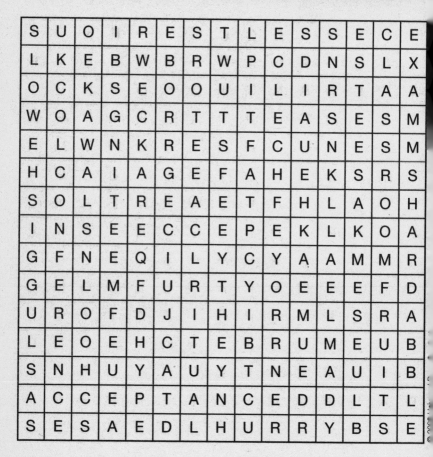

S	U	O	I	R	E	S	T	L	E	S	S	E	C	E
L	K	E	B	W	B	R	W	P	C	D	N	S	L	X
O	C	K	S	E	O	O	U	I	L	I	R	T	A	A
W	O	A	G	C	R	T	T	E	A	S	E	S	M
E	L	W	N	K	R	E	S	F	C	U	N	E	S	M
H	C	A	I	A	G	E	F	A	H	E	K	S	R	S
S	O	L	T	R	E	A	E	T	F	H	L	A	O	H
I	N	S	E	E	C	C	E	P	E	K	L	K	O	A
G	F	N	E	Q	I	L	Y	C	Y	A	A	M	M	R
G	E	L	M	F	U	R	T	Y	O	E	E	E	F	D
U	R	O	F	D	J	I	H	I	R	M	L	S	R	A
L	E	O	E	H	C	T	E	B	R	U	M	E	U	B
S	N	H	U	Y	A	U	Y	T	N	E	A	U	I	B
A	C	C	E	P	T	A	N	C	E	D	D	L	T	L
S	E	S	A	E	D	L	H	U	R	R	Y	B	S	E

Acceptance, Alarm, Apathy, Awake, Bereft, Blues, Breakfast, Caffeine, Cars, Classroom, Clock, Commute, Conference, Creepy, Dabble, Daybreak, Dread, Dress, Energetic, Exam, Fruits, Group, Hard, Hectic, Home, Hurry, Hustle, Hype, Juice, Late, Lecture, Lunch, Meetings, Office, Plans, Quiet, Restless, Ritual, Robe, Schedule, School, Serious, Slow, Sluggish, Start-up, Tired, Work.

G	W	I	N	S	S	A	C	O	N	F	E	T	T	I
E	A	L	Y	T	L	T	E	A	M	C	H	E	E	R
S	V	L	U	A	S	T	R	O	N	A	U	T	O	S
A	E	A	F	R	W	S	L	O	N	G	E	R	C	E
L	T	B	R	A	A	D	T	K	P	T	E	A	B	A
A	A	E	A	S	M	T	A	A	U	H	M	C	L	S
G	L	S	I	N	D	E	H	O	O	E	Y	L	N	T
U	U	A	N	G	D	N	R	L	R	L	A	A	E	E
E	T	B	Y	S	N	O	A	A	E	B	F	S	G	R
S	A	S	T	L	N	I	D	S	T	T	T	S	A	F
T	R	A	E	R	R	R	O	U	O	E	Y	T	A
S	G	A	E	I	E	A	O	O	R	O	A	R	I	M
E	N	V	W	A	T	F	E	Y	N	T	H	N	R	O
C	O	M	M	U	N	I	T	Y	A	O	A	T	E	U
G	C	S	G	N	I	H	C	R	A	M	H	E	H	S

Astronaut, Athlete, Autos, Band, Baseball, Broadway, Camera, Cheer, Cities, Classy, Community, Confetti, Congratulate, Curbs, Dreams, Easter, Fame, Famous, Fans, Flag, Floats, Football, Galas, Governor, Guests, Heritage, Hero, Honoring, Long, Mania, Marching, Mayor, Rainy, Rave, Roar, Route, Stage, Star, Story, Team, Thank, Thousands, Trophy, Wars, Wins, Yearly.

In the Air

C	T	O	L	I	P	O	C	R	E	T	A	W	T	K
O	L	W	E	I	G	H	T	C	S	A	S	E	B	C
A	E	A	L	T	I	T	U	D	E	E	K	R	I	E
C	B	O	S	S	P	E	E	D	E	C	A	S	I	D
H	T	F	D	S	A	B	N	R	I	L	T	T	R	F
S	H	A	U	T	R	A	Y	T	U	U	A	A	L	P
L	G	R	O	M	A	E	R	D	N	S	W	Y	A	L
O	I	E	L	H	C	O	L	A	H	E	S	S	I	A
H	L	G	C	A	H	L	E	L	T	T	S	E	C	N
O	F	N	R	S	U	P	A	S	O	P	O	T	R	E
C	U	E	T	T	I	T	N	O	R	E	O	E	P	P
L	O	S	I	T	E	H	R	R	D	K	T	J	M	P
A	A	S	R	R	G	S	T	I	C	I	E	N	M	S
F	I	A	T	I	B	N	W	O	D	T	N	U	O	C
V	C	P	L	E	V	A	R	T	S	E	J	G	C	C

Alcohol, Altitude, Beds, Belt, Brief, Cart, Class, Clouds, Coach, Commercial, Controller, Co-pilot, Cost, Countdown, Deck, Delay, Dream, Fare, Fast, First, Flight, Jets, Jump, Landing, Lights, Lunch, Parachute, Passenger, Passport, Peanuts, Pilots, Plane, Pressure, Race, Ride, Rocket, Seat, Ship, Short, Smooth, Speed, Steward, Travel, Ticket, Tray, Visit, Water, Weight.

A	P	A	T	H	Y	H	T	O	F	F	E	N	D	O
H	G	N	E	V	O	L	N	D	E	L	A	R	O	M
A	R	G	M	I	N	D	E	T	R	A	E	H	S	Y
P	I	E	R	H	O	R	S	N	V	C	W	E	A	K
P	E	R	C	E	I	V	E	M	O	O	L	G	P	O
Y	F	U	E	T	S	E	R	H	R	L	R	S	P	M
E	O	R	I	G	S	S	T	R	C	D	A	O	L	S
T	S	E	N	S	A	T	I	O	N	A	E	U	E	A
A	E	P	P	D	P	E	R	V	T	T	F	L	A	I
H	Y	M	N	O	D	R	I	A	E	R	T	N	S	S
B	S	E	O	L	H	A	P	S	E	C	U	R	E	U
F	S	T	B	T	A	C	S	D	A	M	A	H	D	H
S	U	N	O	B	I	E	N	E	B	G	R	E	A	T
L	F	R	D	G	N	O	R	T	S	N	I	A	P	N
P	I	T	Y	E	W	A	N	N	O	Y	E	D	W	E

Ache, Aggressive, Anger, Annoyed, Apathy, Body, Bonus, Care, Cold, Eager, Emotion, Enthusiasm, Fear, Fervor, Fury, Fussy, Gloom, Great, Grief, Happy, Hate, Heart, Hope, Hurt, Lonely, Love, Mind, Morale, Numb, Offend, Pain, Passion, Peace, Perceive, Pity, Pleased, React, Real, Resent, Rest, Sadness, Secure, Sensation, Smoky, Soul, Spirit, Strong, Temper, Tired, Touch, Warm, Weak, Wonderful, Worried.

The World Underwater

T	N	E	R	A	P	S	N	A	R	T	A	E	B	E
C	M	A	R	L	I	N	D	E	L	E	G	N	A	R
R	O	D	N	O	P	I	T	M	K	R	S	Q	L	U
A	R	L	C	E	V	A	S	P	A	N	N	U	E	T
B	G	E	D	E	W	I	A	B	R	R	A	P	E	A
S	A	R	C	T	I	C	N	A	E	E	I	T	N	E
N	N	S	L	R	I	V	E	R	M	R	L	N	K	R
P	I	A	S	F	A	U	E	B	A	L	G	A	E	C
L	S	E	I	D	U	T	S	N	C	C	N	L	H	N
A	M	C	E	T	S	D	H	T	K	S	E	P	O	W
N	U	A	L	Y	R	A	T	S	E	G	N	O	P	S
K	S	V	O	A	S	R	I	C	R	W	G	S	P	P
T	S	E	S	I	M	K	B	R	E	A	T	H	E	R
O	E	A	T	L	U	F	R	O	L	O	C	H	E	A
N	L	E	M	O	U	T	H	P	I	E	C	E	D	C

Algae, Angel, Arctic, Baleen, Barb, Barge, Bass, Breather, Camera, Carnivore, Carp, Cave, Clam, Cold, Colorful, Crabs, Creature, Dark, Deep, Dive, Lagoon, Loch, Mackerel, Marine, Marlin, Mask, Mouthpiece, Mussel, Ocean, Organism, Oyster, Pacific, Piranhas, Plankton, Plant, Pond, Race, River, Saltwater, Save, Site, Snail, Snake, Sole, Sponges, Star, Studies, Tank, Transparent, Wetsuit, Whale.

R	F	U	H	E	M	S	S	E	T	S	A	T	R	W
R	O	I	D	N	T	H	E	S	H	O	O	T	A	L
R	G	P	T	H	A	T	C	O	U	T	U	R	E	S
H	E	R	G	T	N	I	E	L	K	H	D	B	W	K
N	G	I	S	W	I	S	I	U	L	R	A	A	S	I
S	L	N	T	T	E	N	P	M	O	L	Y	I	T	N
E	O	T	E	R	G	V	G	B	A	H	E	D	R	N
A	V	S	A	E	A	L	E	S	C	G	L	S	O	Y
M	E	L	R	N	T	C	I	N	T	E	E	I	P	B
S	J	I	M	D	V	C	E	N	T	A	T	R	S	S
T	E	P	A	E	E	V	I	L	E	O	N	A	A	A
R	W	O	N	U	I	R	L	S	M	S	E	C	L	M
E	E	S	I	G	L	A	M	O	U	R	I	K	E	P
S	L	E	D	O	M	M	R	I	Y	M	L	O	S	L
S	S	T	O	V	I	P	T	G	U	C	C	I	P	E

Armani, Body, Cartier, Clientele, Couture, Dior, Event, Fittings, Givenchy, Glamour, Glove, Gucci, Hair, Hats, Hems, High, Image, Jewels, Klein, Label, Lights, Lines, Lingerie, Mall, Models, Music, Pieces, Pivot, Plate, Poise, Pose, Prints, Promotion, Rack, Ramp, Sales, Sample, Seamstress, Sell, Shoes, Shoot, Sign, Silhouette, Skinny, Slip, Sportswear, Stance, Suit, Taste, Teen, Trend, Veil, Vogue, Wardrobe.

Elvis Impersonators

E	I	R	H	O	U	N	D	D	O	G	S	T	I	H
S	T	I	E	O	O	L	O	S	W	I	N	G	E	L
E	P	A	A	N	T	C	E	A	D	E	C	K	D	E
S	L	Y	R	W	I	E	C	G	L	R	A	O	A	L
S	A	B	T	Y	A	A	L	A	E	H	O	E	N	T
A	C	E	B	R	G	H	T	T	S	N	Y	C	C	T
L	E	G	R	O	A	R	S	R	L	I	D	A	E	A
G	S	A	E	O	W	P	B	L	E	E	O	F	E	R
O	U	M	A	S	T	I	S	G	I	T	B	N	S	S
L	O	I	K	M	R	A	H	C	N	P	N	T	S	T
D	H	I	S	T	R	C	T	V	E	I	S	E	E	A
G	L	G	H	A	L	A	S	E	T	A	D	Y	N	G
L	I	D	T	O	E	L	B	A	P	A	C	D	N	E
W	A	S	N	O	I	S	S	E	R	P	M	I	E	C
Y	J	E	E	D	E	U	S	L	E	S	S	A	T	W

Belt, Birthday, Body, Capable, Charm, Clone, Dance, Entertainer, Face, Glasses, Gold, Gyrate, Hawaii, Heartbreak, Hips, Hits, Hotel, Hound dog, Icon, Image, Impressions, Jailhouse, Lace, Legend, Lip-sync, Occasions, Party, Past, Rattle, Records, Roars, Rotate, Satin, Shake, Skill, Solo, Stage, Star, Suede, Swing, Talent, Tassels, Tennessee, Wedding, Wigs, Wobble.

Up a Flight of Stairs

N	O	I	T	A	L	L	A	T	S	N	I	R	O	N
M	H	L	N	P	R	E	P	A	R	C	S	Y	K	S
U	O	A	E	T	L	S	C	H	O	O	L	N	P	T
I	U	T	M	V	E	C	R	O	R	E	P	A	I	R
D	S	E	E	M	E	R	G	E	N	C	Y	M	H	O
A	E	M	C	S	T	L	I	T	A	V	A	L	S	P
T	T	D	S	I	S	L	R	O	R	C	E	S	R	R
S	H	T	L	P	F	A	E	A	R	T	H	N	E	I
B	S	G	I	O	N	F	W	S	O	L	I	D	T	A
U	Y	R	I	C	M	I	O	H	W	C	L	M	A	S
I	A	E	E	A	R	E	T	S	U	L	A	B	O	T
L	W	H	M	S	R	W	L	R	W	N	R	I	B	E
T	O	G	O	T	E	T	V	L	O	N	G	I	F	E
L	L	I	H	L	N	E	S	R	O	D	E	A	S	P
G	S	H	L	E	D	C	O	N	D	O	S	I	D	E

Access, Airports, Attic, Baluster, Boat, Built, Case, Castle, Cement, Condo, Convent, Curved, Emergency, Entrance, Fall, Higher, Hill, Home, Hotel, House, Installation, Interior, Iron, Large, Level, Long, Manor, Many, Metal, Molded, Narrow, Office, Reach, Repair, Rise, Rods, Safe, School, Ship, Side, Skyscraper, Slow, Solid, Spiral, Stadium, Steel, Steep, Step, Straight, Tower, Ways, Well, Wood.

Corn Has Many Uses

E	H	S	A	M	P	B	A	K	E	F	L	A	K	E
L	S	L	L	I	M	P	H	C	R	A	T	S	R	S
B	P	I	N	K	L	I	S	I	S	Y	R	U	P	W
A	N	O	G	R	O	W	T	P	O	O	T	P	O	O
T	L	I	L	G	E	T	I	U	S	L	K	L	L	R
E	S	R	A	E	E	C	N	P	U	T	L	L	U	H
G	A	R	T	R	N	G	D	C	R	E	A	M	E	D
E	L	A	S	M	G	T	I	A	Y	T	T	P	F	T
V	A	G	N	I	M	R	A	F	E	E	S	M	L	R
L	D	U	H	N	G	E	N	O	P	R	D	E	O	E
E	T	S	U	A	R	E	T	T	U	B	B	A	U	E
S	N	H	S	T	U	F	F	I	N	G	S	L	R	B
S	A	U	K	E	L	I	V	E	S	T	O	C	K	I
A	L	C	O	H	O	L	S	T	E	L	B	I	N	T
T	P	K	E	R	N	E	L	D	D	L	E	I	F	E

Agriculture, Alcohol, Aspic, Bake, Beer, Belt, Bite, Bread, Butter, Creamed, Ears, Farming, Field, Flake, Flour, Fritters, Germinate, Grain, Grow, Hull, Husk, Kernel, Livestock, Mash, Meal, Mills, Niblets, Oils, Pinole, Plant, Polenta, Pone, Roasted, Rows, Salad, Silk, Shuck, Stalk, Staple, Starch, Stuffing, Sugar, Sweet, Syrup, Tall, Tassel, Vegetable, Yellow, Young.

Consolidations

D	L	A	C	O	L	S	L	A	S	O	P	O	R	P
E	C	B	Y	L	O	P	O	N	O	M	A	J	O	R
B	R	U	E	N	U	R	A	U	T	A	K	E	O	R
T	E	S	S	A	O	C	N	V	E	R	S	E	O	S
E	D	I	T	G	G	I	K	C	I	U	Q	D	S	C
X	I	N	U	O	O	E	S	Y	P	U	N	O	H	A
P	T	E	O	N	C	S	N	I	I	E	L	O	A	R
A	E	S	W	T	T	K	H	T	V	I	P	M	R	E
N	G	S	E	A	E	S	Y	E	D	I	O	V	E	D
S	A	I	F	S	R	S	U	M	R	N	D	S	H	D
I	R	F	A	E	S	N	F	N	E	U	D	N	O	B
O	E	A	D	N	E	O	I	Y	I	R	T	U	L	E
N	V	A	E	V	T	S	L	N	O	T	G	N	D	T
B	E	N	E	F	I	T	E	L	G	H	E	E	E	O
L	L	R	E	G	U	L	A	T	O	R	S	D	R	V

Agent, Asset, Benefit, Bond, Business, Chop, Credit, Debt, Division, Dough, Equity, Expansion, Fears, Fees, File, Giant, Leadership, Leverage, Loan, Local, Lords, Losses, Lucky, Major, Merger, Money, Monopoly, Notes, Proposals, Quick, Regulators, Revenue, Rogue, Scared, Sell, Shareholder, Solid, Staff, Stock, Union, United, Vendor, Venture, Void, Vote, Warning.

Boxing

P	A	T	H	L	E	T	I	C	S	W	A	G	E	R
R	R	I	G	H	T	S	E	R	D	A	R	T	E	Y
E	E	O	C	G	N	I	R	O	U	N	D	E	R	R
T	N	T	F	O	O	T	W	O	R	K	C	T	E	U
O	A	S	G	E	I	N	S	M	P	A	F	I	F	J
M	B	E	H	N	S	L	U	G	F	E	S	T	E	N
O	E	L	O	U	I	S	O	U	L	C	S	L	R	I
R	L	U	O	Y	C	H	I	M	R	O	F	E	K	K
P	L	R	K	L	E	O	C	O	C	J	V	T	C	C
A	M	C	E	B	D	T	S	N	N	H	B	E	O	A
T	O	S	R	A	P	S	N	R	U	A	A	P	S	T
R	N	S	N	A	F	E	O	I	O	P	L	M	R	T
A	E	U	Y	R	O	T	C	I	V	T	S	O	P	A
C	Y	D	O	B	U	T	N	I	E	F	P	C	N	E
S	S	A	L	C	L	G	U	S	E	S	I	U	R	B

Arena, Athletics, Attack, Beat, Bell, Body, Bruises, Champ, Class, Compete, Count, Cross, Dart, Decision, Down, Face, Fans, Feint, Footwork, Form, Foul, Gloves, Hook, Injury, Left, Louis, Match, Money, Muscles, Post, Professional, Promoter, Punching, Referee, Rest, Right, Ring, Rocky, Ropes, Rounder, Rules, Scar, Slugfest, Sock, Soul, Spar, Sport, Test, Title, Torso, Unconscious, Victory, Wager.

Cosmetics & Such

P	R	E	S	E	N	T	A	T	I	O	N	S	E	S
Y	S	C	E	N	T	S	P	R	A	Y	C	R	U	A
A	R	D	A	T	A	H	E	R	B	A	L	E	L	M
C	O	L	L	L	N	K	M	F	E	H	A	S	A	P
C	S	P	E	C	I	A	L	S	A	V	T	N	V	L
E	C	S	D	W	N	Y	R	M	N	S	I	A	A	E
S	O	S	T	A	E	G	N	A	H	C	X	E	B	S
S	L	L	G	R	T	J	M	E	U	S	D	L	W	E
O	O	E	S	R	A	E	W	R	S	G	A	C	O	L
R	R	G	C	A	S	H	E	C	E	R	B	L	L	Y
Y	A	R	T	N	V	A	C	C	S	E	A	E	P	T
T	E	R	U	T	S	I	O	M	I	D	S	C	R	S
M	E	T	S	Y	S	U	N	S	C	R	E	E	N	I
D	O	O	R	B	E	L	L	G	U	O	P	I	T	M
N	C	A	R	D	S	O	A	P	S	K	O	O	B	S

Accessory, Aloe, Base, Bath, Books, Cards, Cars, Cash, Charts, Cleanser, Code, Color, Creams, Date, Deal, Doorbell, Easy, Exchange, Flyers, Gels, Guarantee, Herbal, Jewelry, Manager, Mist, Moisture, Names, Order, Pert, Presentation, Preview, Price, Purse, Safe, Sales, Samples, Savings, Scents, Sealed, Sell, Sets, Soap, Specials, Splash, Spray, Style, Sunscreen, System, Tags, Talc, Tray, Uses, Value, Warranty, Wear.

Your First Job

B	C	O	S	T	U	M	E	E	T	H	C	N	U	P
U	U	S	A	F	T	E	R	S	C	H	O	O	L	Y
S	O	S	S	N	E	V	O	I	L	E	D	N	L	K
B	K	T	Y	U	E	O	B	A	N	K	E	F	A	C
O	C	S	M	M	B	R	V	R	E	G	R	U	B	U
Y	O	I	A	O	E	S	O	E	T	E	T	N	O	L
R	L	N	N	T	O	R	T	N	R	N	R	I	R	V
A	C	O	A	A	D	R	E	I	A	T	D	O	E	O
R	F	I	L	E	E	M	B	T	T	R	I	N	T	P
O	L	T	R	T	E	L	S	E	I	U	U	M	E	A
P	M	P	A	T	S	I	C	V	V	A	T	E	E	Y
M	T	E	I	B	S	R	E	H	S	A	W	E	R	D
E	H	C	N	S	L	R	L	L	E	S	R	A	G	A
T	X	E	A	T	T	E	N	D	A	N	T	B	G	Y
E	E	R	U	T	A	M	S	G	N	I	N	E	V	E

After-school, Assistant, Attendant, Bank, Boost, Boss, Brave, Broom, Burger,
Busboy, Busy, Cafe, Clean, Clock, Costume, Deli, Driver, Evenings, Excitement, File,
Greeter, Labor, Lucky, Mature, Name, Omen, Order, Ovens, Overtime, Payday,
Punch, Raise, Receptionist, Retail, Sell, Substitute, Sweep, Tables, Tact, Temporary,
Theater, Union, Wage, Waiter, Washer.

The Winner Takes It All

S	Y	V	O	T	E	D	V	A	C	A	T	I	O	N
S	F	T	C	U	E	D	E	R	B	Y	S	R	O	T
E	E	F	Q	H	B	A	S	A	O	S	E	I	I	O
I	D	A	O	T	N	E	M	E	L	T	T	E	S	P
H	L	R	S	Y	M	N	S	S	I	N	E	S	K
P	R	D	E	A	A	O	D	T	T	W	O	E	B	C
O	E	E	G	J	E	L	L	E	R	E	C	X	M	A
R	S	M	D	E	U	A	P	A	E	O	V	C	Y	J
T	C	A	A	R	G	M	L	R	N	P	R	E	E	H
I	I	B	B	F	O	D	B	D	G	E	S	L	N	C
C	P	L	U	C	R	L	E	O	T	C	S	L	O	T
K	M	O	G	L	A	E	E	S	H	I	N	E	M	A
E	Y	O	L	D	C	N	A	E	T	A	D	N	A	M
T	L	G	E	L	E	M	E	S	S	E	C	C	U	S
D	O	M	E	R	S	R	N	O	I	T	C	E	L	E

Alone, Badges, Best, Bets, Cheer, Club, Competition, Contest, Deal, Defy, Derby,
Draft, Edge, Election, Event, Excellence, Fame, Games, Gold, Jackpot, Jumbo,
Lanes, Mandate, Master, Match, Medal, Mentor, Money, Olympics, Order, Plaque,
Playoffs, Polls, Races, Rogue, Role, Second, Settlement, Shine, Speed, Strength,
Success, Teams, Tear, Ticket, Trip, Trophies, Vacation, Vote, Wits.

The Coliseum of Yesteryear

S	U	D	O	M	M	O	C	A	E	C	I	E	S	E
E	B	A	T	T	L	E	H	M	O	G	V	E	T	G
C	E	E	Z	I	S	A	P	M	N	I	S	S	S	L
A	A	G	M	M	D	E	B	A	S	A	N	S	U	A
R	S	U	U	R	R	A	T	S	C	O	N	S	M	D
R	T	H	I	O	T	I	E	R	I	A	T	P	A	I
E	S	A	R	F	U	R	I	T	I	E	H	R	S	A
T	N	U	O	S	P	A	A	S	P	I	C	I	E	T
T	I	R	T	M	T	D	A	V	T	H	T	M	T	O
N	U	H	I	S	N	P	S	H	E	E	O	S	S	R
M	D	R	M	U	S	E	E	S	A	R	E	N	A	S
E	N	E	O	E	N	A	S	U	T	I	T	O	P	V
L	A	F	V	O	T	G	A	L	L	E	R	I	E	S
O	R	T	T	E	L	L	I	P	S	E	I	L	N	C
S	G	S	R	A	W	F	Y	R	N	O	S	A	M	E

Amphitheater, Arches, Arena, Battle, Beasts, Combat, Commodus, Ellipse, Emperor, Floor, Form, Forum, Foundations, Galleries, Gladiators, Grand, Hadrian, Huge, Ignatius, Impressive, Lions, Masonry, Must, Past, Rome, Ruin, Site, Size, Solemn, Staircases, Step, Stones, Terraces, Titus, Travertine, Vast, Vespasian, Vomitorium, Wars.

Paid to Be Funny

D	D	I	A	P	E	C	N	A	T	S	E	U	G	X
E	C	Y	U	R	Y	R	A	V	U	S	G	R	T	I
D	O	N	A	T	O	S	H	O	I	N	I	E	O	M
N	S	I	T	W	E	M	E	T	I	N	L	W	U	O
E	C	I	D	R	D	N	U	N	F	E	A	S	T	O
T	W	O	I	U	A	A	I	H	V	H	N	T	S	R
N	S	E	M	T	T	A	O	I	U	A	O	A	I	S
I	S	H	N	I	T	S	S	R	T	P	I	R	C	S
N	C	O	O	R	C	I	M	W	B	P	S	D	K	A
U	P	N	E	W	O	S	R	A	U	Y	S	O	F	L
S	S	T	R	N	B	I	P	D	R	E	E	M	U	C
C	N	T	H	A	T	I	N	A	L	G	F	K	N	I
E	L	O	A	E	D	A	Z	A	C	L	O	W	N	S
N	M	I	R	G	T	I	T	L	M	E	R	R	Y	U
E	E	S	P	S	E	K	O	J	Y	P	P	E	P	M

Broadway, Classroom, Clip, Clowns, Comics, Entertaining, Feast, Funny, Grin, Guest, Happy, Home, Humor, Jokes, Merry, Mix, Music, Pace, Paid, Peppy, Professional, Programs, Puns, Radio, Scene, Script, Series, Showbiz, Sick, Situations, Spontaneous, Stage, Stance, Stand-up, Stardom, Studio, Tales, Television, Touts, Twist, Unintended, Vary, Witty, Writers.

© 2009 Universal Press Syndicate www.upuzzles.com

Recycling

N	H	A	N	D	O	H	T	E	M	C	T	Y	P	E
E	R	U	B	B	I	S	H	D	T	A	N	K	U	S
W	G	C	O	N	V	E	R	T	I	N	G	I	R	E
S	S	A	L	G	K	O	O	B	R	S	T	S	P	L
P	S	T	R	A	P	O	W	E	R	E	E	L	O	I
A	E	A	M	O	U	N	T	P	M	I	V	I	S	T
P	D	L	R	E	T	U	R	N	E	D	A	O	E	X
E	O	O	T	G	C	S	Z	I	N	C	S	P	C	E
R	O	G	E	T	T	H	L	T	A	E	R	T	E	T
T	W	U	K	O	O	G	A	R	B	A	G	E	I	R
U	L	E	C	W	A	B	T	N	C	E	C	A	P	S
B	L	K	A	P	U	O	E	D	I	L	O	S	C	T
E	O	S	P	S	N	X	M	P	I	C	K	R	E	E
R	T	L	E	M	R	E	C	Y	C	L	A	B	L	E
E	S	D	D	E	H	S	U	R	C	P	U	L	P	L

Amount, Blue, Book, Bottle, Boxes, Cans, Carpet, Carton, Catalogue, Converting, Cover, Crushed, Drop, Garbage, Glass, Grass, Hand, Item, Lots, Mechanical, Melt, Metal, Method, Newspaper, Oils, Pack, Parts, Pick, Piece, Power, Pulp, Purpose, Recyclable, Repair, Returned, Rubbish, Save, Scrap, Solid, Space, Steel, Stock, Storage, Tank, Textiles, Treat, Tube, Type, Used, Waste, Wood, Zinc.

S	Y	E	D	S	E	A	T	S	S	F	A	R	E	D
H	R	M	L	A	T	N	D	D	T	E	E	M	S	A
V	C	A	O	A	P	N	I	T	O	S	H	T	I	E
S	E	I	B	N	E	P	A	S	E	O	S	S	D	R
D	E	L	W	I	O	E	O	R	I	E	F	A	I	B
B	E	L	R	D	R	R	V	I	U	U	L	A	I	D
I	F	F	E	T	N	A	T	G	N	A	C	S	E	E
T	F	C	N	C	T	A	T	S	S	T	T	I	U	S
E	O	E	J	I	T	N	S	C	A	R	M	S	S	S
E	C	I	O	H	C	I	A	S	O	G	O	E	E	E
S	O	N	Y	S	S	F	O	S	O	U	N	C	N	R
S	S	K	A	E	E	A	R	N	A	I	N	O	E	T
E	T	L	B	R	U	N	C	H	S	E	T	T	O	D
R	O	I	L	F	S	T	I	U	R	F	L	A	E	N
D	P	M	E	F	E	E	B	F	I	S	H	P	P	R

Appointment, Beef, Bistro, Bite, Bold, Bread, Brunch, Business, Cafe, Cash, Choice, Coffee, Cost, Counter, Cuisine, Deals, Decor, Dessert, Dishes, Dress, Enjoyable, Fare, Fish, Fresh, Friends, Fruits, Gastronomy, Guests, Meet, Milk, Noon, Patios, Pleasant, Pots, Reservations, Restaurants, Roast, Salad, Sandwich, Seafood, Seats, Selections, Suit, Table, Treat.

The Art of Farming

I	R	E	S	V	S	P	F	E	N	I	L	N	C	T
T	F	I	R	W	I	D	L	U	R	O	O	I	A	R
I	E	A	S	A	O	S	N	O	N	I	T	E	N	G
S	G	R	R	E	C	R	U	A	T	C	H	T	E	K
G	Y	R	R	M	L	O	D	A	L	W	T	C	O	P
A	R	A	O	A	E	G	N	N	L	M	O	I	R	C
T	P	O	W	V	I	R	N	T	I	L	R	O	O	I
F	O	A	W	R	E	N	S	A	O	W	D	A	E	N
N	A	F	T	T	E	S	S	R	T	U	N	S	F	T
E	I	L	L	T	H	T	F	O	C	C	R	I	C	S
E	N	A	L	P	E	U	A	T	I	E	E	S	R	E
R	R	F	R	O	L	R	I	W	V	L	B	R	O	V
G	O	L	D	G	W	V	N	I	D	E	A	L	P	R
E	C	A	P	S	E	E	D	S	E	P	A	H	S	A
S	E	C	E	I	P	R	E	T	N	E	C	I	R	H

Alfalfa, Alternation, Beet, Cane, Care, Centerpieces, Colorful, Contours, Corn, Cotton, Crops, Diverse, Fallow, Farmers, Farmlands, Fields, Function, Gold, Grain, Green, Groves, Growth, Harvest, Ideal, Line, Link, Patterns, Plan, Plot, Productive, Rectangles, Rice, Rise, Seeds, Shapes, Soil, Space, Terrain, Visual, Waterways, Wheat, Windrows.